HEKSENKRANT

Guy Didelez

Heksenkrant

met tekeningen van Harmen van Straaten

Clavis

Andere boeken van Guy Didelez bij Clavis/Afijn

Heksenketel
Heksenbliksem
Heksenlach
Heksenrace
Heksenneus

Guy Didelez
Heksenkrant
© 2008 Clavis Uitgeverij, Hasselt – Amsterdam
Illustraties: Harmen van Straaten
Omslagontwerp: Studio Clavis
Trefw.: heksen, krant, journalistiek
NUR 282
ISBN 978 90 448 0949 7
D/2008/4124/107
Alle rechten voorbehouden.

www.clavisbooks.com
www.guydidelez.be

Dit boek is gedrukt op papier met een certificaat
van de Forest Stewardship Council,
die verantwoord bosbeheer stimuleert.

Mixed Sources
Productgroep uit goed beheerde bossen
en andere gecontroleerde bronnen
www.fsc.org   Cert no. SCS-COC-001256
© 1996 Forest Stewardship Council
FSC

1

Het is donker in de toneelzaal. Even donker als de donkerste okselharen van Sefa Bubbels, de burgemeester van het heksendorp. Enkel vooraan op het podium branden dertien kaarsen. Te midden van die cirkel van licht staat de zwaarste heks van het hele dorp: Sybille met de Dikke Billen. Ze heeft haar heksenhoed afgezet en haar lange jurk opgetrokken, zodat haar benen als twee enorme zuilen onder haar lichaam prijken. Terwijl haar dikke billen bij elke sprong natrillen, springt ze over het podium.

'Haka!' roept ze. 'Hakaaaa!' Ze steekt daarbij haar tong uit en rolt vervaarlijk met haar rechteroog. Alsof de oogbol als een knikker rondjes draait in een trechter.

'Dat is de dans van de Maori's,' fluistert Roos Netelroos. 'In Nieuw-Zeeland dansen ze allemaal zo!'

'Waarom steken ze hun tong daarbij uit?' wil Lelijke Lura weten.

'Omdat het een oorlogsdans is! Op die manier proberen ze de vijand schrik aan te jagen.'

Nu ja, schrik zal Trezebelle er vast niet van krijgen. Daarvoor kent ze Sybille met de Dikke Billen iets te goed ...

Hoewel Trezebelle net als een gewoon mensenkind met

5

een zacht velletje en helderblauwe ogen werd geboren, voelt ze zich prima in het heksendorp. Ze houdt van die spuuglelijke, maar o zo toffe heksen om haar heen. In tegenstelling tot Trezebelle vertonen zij zowat alle denkbare heksentrekjes. Ze hebben stuk voor stuk kromme neuzen, rotte tanden, lodderogen, wangzakken, steenpuisten, flaporen, bloemkoolknieën en nog meer van dat fraais.

Er zijn er die maar een paar van die eigenschappen hebben, maar anderen, de gelukzakken, hebben ze allemaal. Ze worden wel eens jaloers nagekeken, want een heks is pas een echte heks als ze spuuglelijk is.

Intussen gaat Sybille met de Dikke Billen nog altijd zo wild te keer dat het bij elke nieuwe sprong davert in Trezebelles buik. 'Hakaaaaa! Hakaaaaaa!! Hakaaaaaaaaa!!!'

'Pas maar op dat die kaarsen niet omvallen en dat je niet door het podium zakt!' roept Lelijke Lura boven het gedreun uit. Onmiddellijk proesten haar medeheksjes het uit. Stel je voor, dat zou wat zijn ... Sybille die tot aan haar nek door het podium zakt! Ook de heksenjuf moet er zo hard om lachen dat haar bochel ervan schokt.

Maar de planken houden stand en na een laatste enorme 'Hakaaaaa!!!' maakt Sybille met de Dikke Billen een diepe buiging naar het publiek. Meteen stijgt er een roffelend geluid op. Heerlijk toch, zo'n houten tribune waarop je lekker kunt stampvoeten!

Terwijl iedereen nu zo veel mogelijk lawaai probeert te maken, stapt de heksenjuf het podium op.

'Geweldig!' schreeuwt ze vanachter de microfoon. 'Fantastisch!'

Ze maakt een bezwerend gebaar en het gejoel sterft weg. Als de juf complimentjes maakt, willen de heksjes dat maar al te graag horen.

'Je hebt dat prima gedaan, Sybille. Net als alle andere deelnemers aan dit vrij podium! Ik sta versteld van jullie prestaties. Heel verschillend. Heel verrassend. Schitterend gewoon!'

De heksenjuf applaudisseert opnieuw. De heksjes volgen haar voorbeeld.

Glunderend stapt Sybille van het podium. Door de donkere zaal loopt ze tastend in de richting van twee lege stinkzwammen die zij aan zij op haar wachten. Ondanks het gewicht van haar dikke billen lijkt ze wel te zweven, zo gelukkig is ze.

Trezebelle voelt zich intussen wat zenuwachtig worden. Dat wordt er niet beter op als de juf een papiertje uit haar zak haalt.

'En de pret is nóg niet voorbij! Ik zie hier op mijn lijstje nog één kandidate. Trezebelle! Kom op, meid. Maak er iets onvergetelijks van!'

Met knikkende knietjes staat Trezebelle op. In het halfduister schuifelt ze onzeker naar het podium. Het zal heel moeilijk zijn om Sybilles succes te evenaren. Bovendien heeft Trezebelle het zichzelf niet gemakkelijk gemaakt. Ze is van plan om een paar gedichten voor te lezen.

'We gaan een vrij podium organiseren,' had de juf een paar dagen eerder verteld. 'Iedereen mag het podium op om iets te doen wat ze leuk vindt. Wie niet graag spreekt, kan een dansje doen of wat gekke bekken trekken. Vorig jaar was er zelfs een heksje bij dat met een telefoonboek tussen haar tanden in de gordijnen klom. Het maakt niet uit wat

8

je doet. Als je maar aan jezelf en de klas kunt laten zien dat jij iets heel speciaals kunt!'

Trezebelle had meteen aan het kleine, groene schriftje in haar kamer gedacht. Haar *schrijfsels*. Drie gedichtjes en één woordgrapje! Veel was het nog niet, maar die dingen waren wel echt van haar. Ze waren zo echt, dat ze er zelfs aan dacht om later een heuse schrijfster te worden.

Maar nu ze haar teksten voor het eerst voor een publiek zal voorlezen, weet ze het niet meer zo zeker. Misschien had ze, net als Sybille met de Dikke Billen, beter voor een grappige dans kunnen kiezen. Of voor een kunstje, zoals Lenige Lena. Tot grote vreugde van de hele zaal ging zij op één hand staan, terwijl ze met haar vrije hand in haar neus begon te peuteren. Je moet het maar doen!

Intussen is Trezebelle op het podium geklommen. In het vage licht van de kaarsen neemt ze plaats achter de microfoon. Ze haalt diep adem.

'Gedichten!' kondigt ze aan. 'Van mezelf ...'

Even blijft het muisstil in de zaal. Dan hoort ze heel in de verte een heksje fluisteren: 'Versjes zijn saai ...'

Het is zo donker dat Trezebelle niet eens kan zien wie het zegt. Ze herkent alleen het verontwaardigd sissen van haar drie beste vriendinnen: Lelijke Lura, Roos Netelroos en Sybille met de Dikke Billen. 'Sssssst!'

Die reactie doet haar goed. Toch vermindert de spanning niet echt. Met bibberende vingers haalt Trezebelle het kleine,

9

groene schriftje uit haar achterzak. 'Ik zal me beperken tot drie stuks,' belooft ze. 'Te veel gaat op de duur vervelen.'

Ze slaat het schriftje open. Ze is nu zo gespannen dat er een zweetdruppeltje vanonder haar valse heksenneus tot op haar bovenlip glijdt.

In tegenstelling tot de andere heksen werd Trezebelle met een schattig wipneusje geboren. Toch probeert ze zich altijd heel heksig te gedragen. Daarom heeft ze een valse heksenneus gekocht. Die draagt ze over haar gewone neus. Zo ziet ze er even kromneuzig uit als haar vriendinnetjes. Dat vinden die wel fijn.

Het schriftje trilt nu zo hard dat ze de letters nauwelijks nog kan lezen. Gelukkig is dat niet nodig. Ze kent de teksten uit het hoofd.

'Gedicht één,' kondigt ze aan. Ze sluit haar ogen en perst het er dan in één adem uit:

> 'Er loopt een man over de brug,
>   met vooraan zijn buik en achteraan zijn rug.'

Ze maakt een buiging. Er valt een verpletterende, inktzwarte stilte. Het lijkt of iedereen méér had verwacht.

Dan hoort Trezebelle plots de stem van Roos Netelroos. 'Een schitterende beschrijving! Ik zie het zó voor mijn ogen gebeuren!'

Uit het zwarte gat voor haar klinkt nu een aarzelend applaus. Er zijn dus nog méér heksjes die haar korte gedichtje niet zo slecht vinden. Dat geeft moed. Tijd dus voor het grotere werk. Trezebelle buigt nogmaals.

'De poema,' zegt ze. Tot haar verbazing hoort ze dat haar stem iets minder trilt.

11

'De poe-ma
zoekt een poe-pa
voor haar dochter An.

En de la-ma
zoekt een la-pa
voor haar zoontje Jan.

De papa-gaai
hoog in de lucht
kijkt naar de mama-gaai
en zucht:
"Wat is het fijn
met twee te zijn!"

Maar het heksje Filomeen,
blijft veel liever heel alleen.'

Als Trezebelle een nieuwe buiging maakt, klinkt het applaus veel luider op.

'Mooi zo!' hoort ze Sybille met de Dikke Billen boven het geluid uit roepen. Lelijke Lura steekt twee vingers in haar mond. Die passen perfect in de gaten waar vroeger twee van haar tanden stonden. Zo slaagt ze erin een hoog en schril gefluit voort te brengen.

Ook Heksje Filomeen is blij verrast. Glunderend zit ze te midden van haar klasgenootjes. Een versje speciaal voor haar; dat is toch te gek ...

Gesterkt door die reacties gaat Trezebelle dapper voort.

'Een raadseltje,' zegt ze. 'Een tussendoortje. Een hazewind is een hond, dat weten jullie allemaal. Maar wie weet er wat een hazenwind dan wel mag zijn?'

Stilte. Iedereen denkt diep na. Zelfs de heksenjuf fronst haar voorhoofd in een diepe plooi.

'Een deftig woord voor een konijnenscheet!' grapt Treze-belle.

Dat vinden ze natuurlijk allemaal heel lollig. De hele zaal proest het uit. De bochel van de heksenjuf schokt zo moge-lijk nog harder dan tijdens het optreden van Sybille met de Dikke Billen.

Trezebelle voelt zich nu veel minder gespannen. Op de een of andere rare manier lijkt het alsof zij het publiek plots in haar macht heeft, of ze de hele zaal precies kan laten rea-geren zoals *zij* het wil.

'Derde versje,' kondigt ze aan. 'Als ...'

Ze maakt opnieuw een buiging en zonder zelfs maar naar het groene schriftje te kijken, begint ze nog een gedicht voor te dragen.

'Als haaien konden loeien,
zou het druk zijn op de zee.

Maar haaien zijn geen koeien,
dus het valt daar nogal mee.

Als paarden konden zweven,
vlogen ze vast in een groep.
Stel je voor, dat zou wat geven:
"Hé, het regent paardenpoep!"'

Ze voelt zich nu zo zelfverzekerd dat ze bij de laatste zin eerst bang omhoogkijkt en dan wild opzijspringt. Alsof er een gigantische paardendrol naar beneden gedonderd komt en alsof ze die slechts op het nippertje kan ontwijken. De hele zaal buldert het nu uit! Bij sommige heksjes springen de lachtranen zomaar in de ogen.

En kijk, als Trezebelle na een laatste diepe buiging van het podium wil stappen, gebeurt er iets wat ze zelfs in haar stoutste dromen niet had durven denken: Sybille staat op en begint ritmisch te roepen: 'Bis ... Bis ... Bis ...'

Onmiddellijk volgen Roos Netelroos en Lelijke Lura haar voorbeeld. Ook zij veren op en ze nemen handenklappend het ritme over. 'Bis ... Bis ... Bis ...'

En alsof dat het sein is waarop het hele publiek zat te wachten, springen nu ook alle andere heksen op. 'Bis ... Bis ...'

Trezebelle vindt het zalig. Een daverend applaus voor haar alleen. Daar doe je het natuurlijk voor. Maar tegelijk zit ze met een enorm probleem. Hoewel er voortdurend versjes

in haar hoofd dartelen, heeft ze er nog maar drie op papier gezet. Hoe kan ze dan in 's hemelsnaam een vierde versje brengen?

Ze slikt en schraapt haar keel.

'Euh ... Ik euh ...'

Maar het publiek luistert niet naar wat ze wil vertellen. Als één blok staan alle heksen rechtop: 'Bis ... Bis ... Bis ...'

Trezebelle voelt hoe de zenuwen opnieuw door haar keel

beginnen te bibberen. Ze trilt op haar dunne spillebeentjes. Het zweet glijdt plakkerig vanonder haar valse heksenneus. Hoe kan ze zich hier ooit uit redden?

'Euh ... Euh ... Ik heb maar drie versjes ...' hakkelt ze dan toch. 'Ik kan er geen vierde brengen.'

'Geen probleem! Dan bedenk je er toch een ter plaatse!' roept Lelijke Lura vanuit de donkere zaal terug.

'Je kent er wél een!' gilt Marie-Antoinette, het enige heksje met een koninklijke naam, nog luider. 'Je hebt het gisteren, toen ik op het toilet zat, nog voorgedragen ...'

Dat is waar ook! Toen Marie-Antoinette gisteren op het toilet zat, heeft Trezebelle zomaar een gek versje voor haar opgezegd. Het kwam er zomaar uit gerateld. Ze heeft het niet eens op papier gezet, maar het zit vast nog wel in haar hoofd.

Ze probeert zich even te concentreren, herinnert zich dan de zinnen en flapt het er in een spetterend woordspel uit ...

'Marie-Antoinette
(de zus van Colette)
had eens op haar pet
een trompet
opgezet.

Ze liep heel koket
en vol binnenpret
voortdurend maar met

deze pet
met trompet.

Eens was het toilet
toevallig bezet
dus blies Antoinette
de trompet
met de pet.

Haar zusje Colette
die gilde ontzet:
"Het is hier bezet,
Antoinette
met de pet."

Marie-Antoinette
had toen toch zo'n pret
ze blies nogmaals met
de trompet
met de pet.

Toen gilde Colette
"Retteketet,"
want zij droeg geen pet
met trompet
op 't toilet.'

Er gaat nu een onweerstaanbaar lachsalvo door de zaal. Sybille giert het zo hard uit dat ze er krampen in haar buik van krijgt. Happend naar adem wil ze gaan zitten en daarbij belandt ze ... tussen haar twee stinkzwammen in. Met haar benen in de lucht dondert ze op de grond, wat het plezier alleen maar laat toenemen.

Trezebelle geniet. Het lijkt alsof ze boven zichzelf uit stijgt. Alsof er geen klein meisje op het podium staat, maar een heuse woordkunstenares die met haar teksten het hele publiek bespeelt.

Ook de juf heeft er zichtbaar plezier in. Nahikkend van het lachen komt ze het podium op.

'Proficiat, Trezebelle! Een waardige afsluiter van een prachtige middag!'

Trezebelle hoort het nauwelijks. Ze is al terug in de zaal. Daar wordt ze bedolven onder de knuffels en schouderklopjes.

'Ik ben trots op jou!' fluistert Lelijke Lura haar in het oor. 'Ik weet het nu wel heel zeker. Vroeg of laat word jij een grote schrijfster.'

Trezebelle wou dat het waar was. Ze zou er héél veel voor overhebben om haar grote droom waar te maken ...

'Kijk eens,' zegt Roos Netelroos, wanneer de vier heksenvriendinnen enkele minuten later zij aan zij huiswaarts lopen.

Ze toont Trezebelle een krantenknipsel vol blinkende woorden en zinnen. Dat komt door de gedroogde snot, weet Trezebelle. Roos Netelroos heeft vast haar neus al in die krant gesnoten. Heksen doen dat. Ze kopen nooit zakdoeken, maar snuiten hun neuzen in oude krantenartikels. Dat is veel goedkoper en het is ook minder werk. Je hoeft nooit zakdoeken te wassen.

Trezebelle vindt het maar vies. Het is een van de weinige dingen waar ze nooit aan zal wennen. Toch, omdat Roos zo aandringt, kijkt ze wat aandachtiger naar het krantenknipsel.

AATSELIJKE EDEWERKE, leest ze. De rest van de tekst is onleesbaar geworden omdat het papier wat aan elkaar plakt. Ze kijkt Roos niet-begrijpend aan.

'Wat is een aatselijke edewerke?' vraagt ze.

'Een plaatselijke medewerker!' verbetert Roos. 'Iemand die voor de krant artikels schrijft over het dorp of de gemeente waarin hij of zij woont.'

Trezebelle begrijpt er niets van. 'En dan?'

Roos zucht diep. Met een blik van wanhoop in haar ogen kijkt ze naar Lelijke Lura. Die snapt natuurlijk wel waar het om gaat.

'Dat is iets voor jou!' neemt Lura het over. 'Je hebt heel veel schrijftalent, dat hebben we daarstraks kunnen zien ...'

Trezebelle voelt dat ze een kleurtje krijgt. 'Ik heb een paar kleine dingetjes geschreven,' pruttelt ze tegen. 'Woordgrapjes. Dat is nog heel wat anders dan medewerkster worden bij zo'n krant.'

19

Sybille met de Dikke Billen schudt het hoofd. 'Er zit een schrijfster in jou, dat voelen we allemaal. Maar het is een lange weg. Talent moet groeien. Precies daarom is het een heel goed idee om voor een krant te gaan werken.'

'Bedoel je dan dat ik ...!?' Trezebelle hapt naar adem. 'En wat zou ik dan wel moeten schrijven?'

'Wat er in ons dorp gebeurt!' vindt Lelijke Lura. 'Een verslag van het vrij podium, bijvoorbeeld.'

'Ah ja, ik kan het over mezelf hebben ...' spot Trezebelle. 'Ik kan misschien zeggen hoe goed ik was. Heel interessant!'

'Dan heb je het toch over iets anders!' antwoordt Sybille. 'De wedstrijd kersenpitspuwen van vorige week, bijvoorbeeld. Die heb ik gewonnen!'

'Of over de Miss Lelijkheidsverkiezing!' glundert Lelijke Lura. 'Die win ik nu al zeven jaar op rij.'

'Er is zo veel om over te schrijven,' vindt ook Roos Netelroos. 'Het brouwen van een nieuwe toverdrank, bijvoorbeeld. Of het gevaar van het bezemvliegen bij felle zijwind. Of een verslag van de vierhonderd meter bezemduiken achter motoren! Het maakt niet uit wát je schrijft. Als het maar over ons dorp gaat. Je mag die kans niet laten liggen. Niet voor jou en niet voor het heksendorp.'

'In de gewone wereld heeft niemand interesse in wat er hier gebeurt!' pruttelt Trezebelle tegen. 'En ik weet ook niet of ik het wel kan. Vrolijke gedichtjes maken is heel wat anders dan heuse artikels schrijven.'

'Natuurlijk kun je dat!' antwoordt Lelijke Lura. 'Je gaat vandaag nog naar de krant en je zegt dat je geknipt bent voor die job. En wij gaan met je mee!'

Dat vinden ze alle drie een heel goed idee. Ook Roos Netelroos en Sybille met de Dikke Billen knikken nu zo hard dat het lijkt alsof hun hoofd eraf dreigt te vallen.

Trezebelle blijft twijfelen. 'Ik weet het niet,' zucht ze. 'Ik weet echt niet wat ik me nu weer op de hals zal halen ...'

2

'De grote baas spreken? En waarom dan wel?'

Vanachter haar dikke brillenglazen kijkt de vrouw aan de balie de vier heksjes achterdochtig aan. Ze heeft duidelijk niet veel zin om zomaar te doen wat die misbaksels haar vragen.

'Trezebelle wil zich aanbieden voor de job van plaatselijke medewerker!' zegt Roos. 'Ze kan hekstreem hekscellent schrijven.' Ze knikt met haar hoofd in de richting van Trezebelle. Er dwarrelt een toefje roos naar beneden. Het blijft liggen op de plank die de bezoekers en de bebrilde vrouw van elkaar scheidt.

De vrouw kijkt er verschrikt naar, blaast het hooghartig weg en wijst dan met opgetrokken neus naar een paar stoelen die wat verderop in de gang staan. 'Wacht daar. Ik bel de hoofdredacteur.'

'Okidoki,' antwoordt Sybille met de Dikke Billen vriendelijk. Ze kan zich nog net bedwingen om dat zure brilmens achter de balie toch maar *niet* te neuzeneuzen. Ze weet intussen al dat mensen dat niet altijd even leuk vinden.

Ze schuifelt dus haar vriendinnen achterna. Die hebben plaatsgenomen op de stoeltjes. Trezebelle zit er nagelbijtend bij.

Sybille geeft haar een goedbedoelde tik op haar vingers. 'Niet doen!' fluistert ze. 'Als al je vingernagels op zijn, moet je aan je teennagels beginnen. Dat zou echt geen gezicht zijn.'

Trezebelle stopt er dus mee. Maar ze blijft behoorlijk zenuwachtig. Hoe zal die hoofdredacteur reageren als zij straks vraagt of ze voor hem mag komen werken?

Het wachten duurt eindeloos. Heeft de vrouw aan de balie vergeten de hoofdredacteur te bellen? Of weigert de hoofdredacteur om hen te spreken uit schrik dat zijn bureautje vol roos zal liggen?

Sybille krijgt het ervan op haar brede heupen. 'Ik blijf hier geen uren op mijn dikke billen zitten!'

Ze staat op, loopt de gang door en begint de naamkaartjes te lezen die op de deuren links en rechts hangen. Bij de derde deur aan de rechterkant heeft ze prijs.

B. Ullebak, staat er te lezen, *hoofdredacteur.*

'Ik heb hem gevonden!' roept ze zo luid ze kan, terwijl ze zich weer naar de anderen keert. 'Bullebak heet hij!'

'Ullebak!' hoort ze een norse stem achter zich. 'Bernard

Ullebak. Geen Bullebak! En wie ben jij, als ik vragen mag?'

Alsof er iemand een injectienaald in haar dikke billen heeft gestoken, draait Sybille zich om. Ze schrikt van wat ze ziet. Die Ullebak is echt heel indrukwekkend. Hij weegt minstens honderdvijftig kilo en torent wel een halve meter boven haar uit. En hij heeft heel harige wenkbrauwen waaronder zijn ogen haar vijandig aankijken.

'Ik euh ... Ik ... Ik heb mijn vriendinnen meegebracht ...' hakkelt Sybille, voor één keer toch wat van de wijs.

Ze wijst naar Trezebelle, Roos en Lura. Die zijn inmiddels opgestaan en lopen onzeker op de hoofdredacteur af.

'En wat komen zij hier doen?' dondert Ullebak. Hij heeft zo'n zware stem dat elk woord een beetje natrilt in Trezebelles buik.

Roos haalt het besnoten krantenartikel uit haar mouw en probeert het glad te strijken. 'Mijn vriendin hier heeft interesse voor de job van plaatselijke medewerker.' Ze wijst onzeker naar Trezebelle.

Die voelt haar hartje hoe langer hoe harder roffelen. Ze durft die Ullebak haast niet in zijn ogen te kijken, zo streng ziet hij eruit.

'Zozo, schrijven voor onze krant ...' meesmuilt de hoofdredacteur. 'En waarom kom je dat met z'n vieren vertellen?'

Trezebelle voelt dat ze een kleurtje krijgt. Ze vond het al geen goed idee om zich door haar vriendinnen te laten vergezellen.

'We wilden haar steunen!' zegt Lelijke Lura. 'Ze is nogal onzeker, zie je.'

'Onzeker?' Ullebak fronst zijn voorhoofd. Zijn wenkbrauwen kruipen nu als rupsen naar elkaar toe. 'Je weet toch dat journalisten heel zeker van hun zaak moeten zijn! Wat in de krant staat, moet kloppen! En ze moeten ook zelfstandig kunnen werken. Het maakt een belabberde indruk om je vriendinnen voor een eerste kennismaking mee te nemen!'

'Het is haar schuld niet!' reageert Roos Netelroos snel. 'Trezebelle wou liever alleen komen. Maar wij wilden erbij zijn.'

'Jaja,' zucht Ullebak. Hij zegt het niet, maar je voelt zó dat hij er niet veel van gelooft. Met zijn priemende ogen lijkt hij wel tot in Trezebelles ziel te kijken. 'Plaatselijke medewerker,' vervolgt hij dan. 'Waar woon je?'

'In het heksendorp,' fluistert Trezebelle aangeslagen. 'In het land achter de zee.'

'In ons dorp wonen geen gewone mensen!' neemt Lelijke Lura het snel over. 'Alleen heksen zoals wij!' Om haar woorden kracht bij te zetten, neemt ze haar neus vast en trekt eraan. 'Voel maar, als je me niet gelooft! Allemaal puur natuur!'

Voor het eerst verschijnt er iets wat op een glimlach lijkt om Ullebaks lippen. 'Kan interessant zijn ...' mompelt hij, meer tot zichzelf dat tot het viertal. 'Een heksendorp ... Daar zit misschien iets in. Gebeuren er in jullie dorp ook ophefmakende dingen?'

'Heel ophefmakend!' vindt Trezebelle. 'We leven er in vrede.

26

Dat is meer dan je van de mensenwereld kan zeggen.'

'Heel bijzonder,' geeft Ullebak toe. 'Maar onze lezers zijn vooral geïnteresseerd in dingen die fout lopen. Hoe meer misère, hoe meer kranten we verkopen!'

'Mooie dingen zijn fijn,' pruttelt Trezebelle onzeker tegen. 'Ik heb een voorbeeld voor u gemaakt. Hier!'

Uit haar jaszak tovert ze een papier tevoorschijn. Een tekst die ze de vorige avond op aanraden van haar vriendinnen speciaal voor de krant geschreven heeft.

De hoofdredacteur vouwt het blad open en begint aandachtig te lezen.

Trezebelle krijgt het warm en koud tegelijk. Ze vindt het ongelooflijk spannend om iemand haar tekst te zien lezen en te wachten op zijn reactie. Als haar hart nu een kikker was, sprong hij vast tot in haar keel.

Lange tijd blijft het stil. Dan barst Ullebak in een bulderende lach uit. 'Ha. Haha. Hahahaha! Woehaaahaaaaahaaaaaaa!'

Trezebelle begrijpt het niet. Ze wist niet dat haar tekst zo grappig was.

'Belahahaha ... Belachelijk!' hikt Ullebak. 'Een artikel over de vondst van de eerste meikever! Waarom niet over de vlucht van de lijster of de dikte van de regenworm?!'

Lelijke Lura port Trezebelle in de zij. 'Opschrijven!' raadt ze aan. 'Goed idee!'

Maar Trezebelle snapt dat het geen zin heeft. Ze wil hier het liefst zo snel mogelijk weg.

Ullebak merkt haar ontreddering op. 'Begrijp me niet verkeerd,' probeert hij haar onverwachts te troosten. 'Ik vind dit artikel best vlot geschreven. Er gebeurt alleen zo weinig in. Drieëndertig regels om een meikever te vinden, dat boeit de mensen niet.'

'Wat moet ik dan schrijven?' vraagt Trezebelle ontgoocheld. 'In ons dorp gebeuren er geen moorden of zo.'

'En een overvalletje op de bank?' probeert Ullebak. 'Of een inbraak?'

'Wij kennen alleen maar zitbanken. Die overval je niet. En inbreken is ook al onmogelijk, want alle huizen hebben flapdeurtjes die nooit op slot gaan.'

'Misschien een oud heksje dat van haar handtas beroofd wordt?' dringt Ullebak aan.

Trezebelle zucht. 'We hebben geen handtassen en die kunnen dus ook niet geroofd worden. Ik zei het toch: in ons dorp is er geen misdaad. We zijn gewoon gelukkig met elkaar. En we lachen veel. Heel veel.'

Ullebak kijkt haar verbluft aan. Hij krabt eens in zijn haar.

'Tja, in dat geval kan ik niet veel voor je doen, vrees ik. Jammer, want een wekelijks verslag vanuit een heksendorp vond ik op zich een leuk idee. En je hebt een vlotte stijl, dat moet ik toegeven.'

'Natuurlijk kan ze schrijven!' blaft Lelijke Lura. 'Trezebelle heeft een geweldig talent. Ze schrijft zulke grappige gedichten dat ik me er al vaak een bult om heb gelachen.'

'Ik zie het,' geeft Ullebak toe. 'Je raakt er niet meer vanaf. Jammer genoeg zijn wij vooral geïnteresseerd in dingen
die fout lopen. Het hoeft niet wereldschokkend te zijn, als
het maar tot de verbeelding spreekt. Liefst dingen die ze
nergens anders meemaken. Als jouw vriendin zo'n artikel
voor mij kan schrijven, zal ik het met plezier opnemen.'

Trezebelle zucht. Best vriendelijk dat Ullebak haar op
zijn eigen bullebakse manier probeert te troosten, maar het
is duidelijk verloren moeite. Ze draait zich om en wil er-
vandoor gaan.

Precies op dat ogenblik schuift de glazen deur van de hal
open. Er komen twee mannen binnen. Ze lijken wel een
komisch duo te vormen. De eerste is graatmager en zo mogelijk nog langer dan Ullebak, de tweede is klein en dik.
Hij draagt een fototoestel rond zijn nek. Een journalist en
een fotograaf, veronderstelt Trezebelle.

'Jullie komen als geroepen!' blaft Ullebak. 'Naar het heksendorp!'

De twee bekijken elkaar niet-begrijpend.

'Ik wil een sensationeel artikel,' schertst de hoofdredacteur. 'De titel heb ik al: "Geheimzinnige neuzenknijper slaat
weer toe". Nu enkel nog een bloedstollende tekst over een
vermomde man die keer op keer uit de bosjes springt, een
heks aan haar neus trekt en er dan weer vahahahahahan-
door gaat ...' Hij vindt zichzelf blijkbaar zo grappig dat hij
opnieuw in een bulderende lach uitbarst.

Trezebelle ziet er de humor niet van in.

'Kom, we gaan hier weg! We kunnen hier alleen nog onze tijd verprutsen.'

'Die Ullebak is een echte bullebak!' gromt Sybille. 'Ons zomaar in ons gezicht uitlachen.'

'Had ik hem maar in een kikker veranderd,' zucht Lelijke Lura. 'Dan zou hij vast heel wat minder hoog van de toren kwaken.'

'Stel je voor!' glimlacht Roos Netelroos dromerig. 'Een vette kikker van honderdvijftig kilo ...'

Trezebelle reageert er niet op. Ze loopt er al het hele eind zwijgend en wat treurig bij. Na het succes van haar zaaloptreden had ze haar zinnen al helemaal op die nieuwe job gezet. Het zou toch wat zijn: haar naam in de krant ...

Op hetzelfde ogenblik voelt ze een hand op haar schouder.

'Kop op. Ik weet dat je kunt schrijven!'

Sybille met de Dikke Billen. Ze glimlacht haar bemoedigend toe.

Een andere hand op haar andere schouder.

'Niemand schrijft zulke grappige versjes als jij!'

Roos Netelroos. Ook zij is er altijd als Trezebelle haar nodig heeft.

'Denken jullie ook nog even aan mij? Alle schouders zijn bezet en ik wil haar ook nog troosten.'

Lelijke Lura natuurlijk. Ze cirkelt wat hulpeloos rond het drietal.

Trezebelle blijft staan en buigt door haar knieën. 'Kom jij maar eens lekker neuzeneuzen.'

Het volgende ogenblik staan ze neus tegen neus.

Wat een rijkdom, weet Trezebelle. *Drie échte vriendinnen!*

Dat is haar nog duizend keer meer waard dan haar naam in de krant ...

3

'Mag ik ... Mag ik even om stilte verzoeken?'

Sefa Bubbels in hoogsteigen persoon staat bovenop een lege krat waar paddenkwijl in gezeten heeft. In een bezwerend gebaar houdt ze haar beide handen in de lucht. Dat mist z'n effect niet. Onmiddellijk verstomt het geroezemoes. Zelfs de heksjes die – voor de receptie – op de achtergrond de glaasjes paddenkwijl vullen, stoppen hun bezigheden.

'Dank u!' vervolgt Sefa, terwijl ze het publiek dankbaar toeknikt. 'Het is mij een bijzonder grote eer en een zo mogelijk nog groter genoegen om vandaag deze kleine maar o zo fijne dichtbundel aan u te mogen voorstellen.' Met een theatraal gebaar graait ze haar hoed van haar hoofd en diept ze er een boekje uit op.

Trezebelle voelt hoe haar lip begint te trillen. Op hetzelfde ogenblik wordt de wereld een beetje wazig. *Stomme Trezetrien! Je gaat nu toch niet beginnen te janken?* Maar het is al te laat. De aanblik van haar allereerste bundel ontroert Trezebelle zo diep dat de tranen over haar wangen stromen.

Sefa Bubbels merkt het op. 'Laat je tranen maar lekker lopen,' glimlacht ze. 'En geniet vooral van dit moment. Je hebt er al zo lang naartoe geleefd ...'

Trezebelles lip begint nu nog meer te trillen. Ze merkt dat iedereen naar haar kijkt en wil iets antwoorden. 'Dank jullie wel,' wil ze zeggen. 'Dank jullie wel, omdat jullie allemaal hierheen gekomen zijn ...' Maar net als ze iets wil zeggen, hoort ze een rauwe kreet. 'Ieieiek!'

Dit klopt niet, flitst het door haar heen. *Waarom begint er iemand te gillen op een moment als dit?* Ze schudt nietbegrijpend haar hoofd en merkt dan dat ze ... in bed ligt.

Dit kan niet. Boekpresentaties worden nooit gehouden terwijl de schrijfster in haar pyjama in bed ligt.

Ze moet dus alles gedroom...

'Ieieieieiek!'

Opnieuw die kreet. Dit keer zo mogelijk nog harder. Het lijkt wel of de valse heksenneus, die traditiegetrouw op het kastje naast Trezebelles bed staat, ervan begint te trillen.

Het volgende ogenblik zit ze rechtop in bed. Wég mooie droom waarin Sefa Bubbels haar eerste dichtbundel aan het publiek presenteert. Wég het paddenkwijl dat rijkelijk vloeit op de receptie. Wég het zo talrijk opgekomen publiek. In plaats daarvan dringt de afschuwelijke waarheid tot haar door: er is iets vreselijks aan de hand in het heksendorp!

Ze springt uit haar bed, graait haar heksenneus van het kastje, zet hem op en snelt naar het raam. Daar ziet ze hoe beneden vele andere heksen in paniek uit hun huizen komen lopen. Ze kijken even verward in het rond en haasten zich dan allemaal in de richting van het huis van Fiete Kwik. Trezebelle weet niet wat er daar precies aan de hand is; ze ziet alleen dat er heel wat volk bij het voortuintje samentroept.

Ze trekt het kantelraam open. Misschien kan ze een paar woorden opvangen. In plaats daarvan hoort ze alleen ...

'Ieieieieiek!'

Ze heeft nu de stem van Fiete Kwik herkend. Er moet vast iets vreselijks met deze sympathieke heks gebeurd zijn.

Nog in pyjama en op blote voeten stormt Trezebelle de kamer door, de trap af, het huis uit. Gelukkig heeft ze haar heksenhoed opgehouden in bed. Zonder hoed voelen heksen zich altijd een beetje bloot.

Achter de andere heksen aan rent Trezebelle naar de plaats

van het onheil. Daar zijn intussen al tientallen heksen samen-
gestroomd.

Omdat ze meer wil zien dan alleen maar ruggen en bochels,
wringt ze zich tussen de warme en dicht op elkaar gedruk-
te lijven tot helemaal vooraan. Makkelijk is het niet, maar
Trezebelle is klein, slank en lenig. En ze heeft ook scherpe
ellebogen. Dat helpt in een noodgeval als dit. Al snel steekt
ze haar valse heksenneus tussen twee houten planken door
die deel uitmaken van de omheining die al tientallen jaren
om het voortuintje staat.

Nee, dit kan niet!

Fiete Kwik staat midden op de schuine streep van het
tuinpad, dat in een grillige Z-vorm door het voortuintje
snijdt. Ze heeft haar handen voor haar borst samengevou-
wen en gilt als een operazangeres die een kristallen kroon-
luchter stuk wil laten knallen.

'Ieieieieieiek!'

Trezebelle snapt er niks van. Tot ze plots iets anders op-
merkt. De ... De ... tuinkabouters!

Sinds jaar en dag staan er drie tuinkabouters zij aan zij
tussen de bloemen in Fiete Kwiks voortuin: Freek, Frits en
Freddy. Ze hebben alle drie een dikke baard, blinkende oogjes
en een ietwat dommige glimlach om de lippen.

Maar vandaag zien ze er heel anders uit. Freek, Frits en
Freddy zijn ... Ze zijn ... onthoofd!

Het geeft Trezebelle zo'n schok dat ze even haar ogen sluit.

Dit kan niet. Ik moet me vergist hebben.

Als ze haar ogen weer opent, ziet ze precies hetzelfde. Freek, Frits en Freddy, die al niet de grootsten waren, zijn letterlijk nóg een kopje kleiner gemaakt. Op de plaatsen waar vroeger hun hoofden zaten, gapen nu drie grote gaten. Alsof je in elke kabouter een dikke bos snijbloemen kunt steken.

'Afschuwelijk!' hoort Trezebelle een van de oudere heksen in haar oor blazen. 'Wie doet nu zoiets?'

Ze kijkt niet eens om. Met wijd opengesperde ogen staart ze vol ongeloof naar de drie hoofdjes die naast de kabouters op de grond liggen. Van slechts een ervan kan ze het gezichtje zien. Freddy, vermoedt ze. Met bolle wangen en blinkende oogjes kijkt hij naar de blauwe lucht boven hem. En wat alles nog schrijnender maakt ... Ondanks de onthoofding blijft hij dommig glimlachen. Alsof hij in zijn oneindige goedheid degene die hem dit heeft aangedaan allang vergeven heeft.

'Opzij! Opzij! Opzij! Wij hebben ongelofelijke haast!'

De stem van Sefa Bubbels klinkt nu boven het geroeze-moes uit. Als op een afgesproken teken proberen alle heksen plaats te maken voor de belangrijkste heks van het dorp. Altijd probeert zij het heksenleven in goede banen te leiden.

In korte tijd is Sefa Bubbels tot bij het hekje gekomen. Ze opent het poortje en stormt met gespreide armen op Fiete Kwik af. Die is inmiddels gestopt met gillen. In haar veel te lange nachtpon staat ze er als een stijf geworden spookver-schijning bij.

'Fietje, Fietje toch ... Wat is er allemaal aan de hand?' In een moederlijke reactie slaat Sefa haar armen om de pech-vogel heen.

Fiete Kwik reageert nauwelijks. 'Ik ... Ik snap er niks van,' stamelt zij. 'Ik kom vanmorgen mijn voortuin in om mijn tenen eens te strekken en wat radijsjes te plukken, en ineens zie ik ...' Ze komt niet meer uit haar woorden, maar wijst bibberend naar het onthoofde drietal.

Nu pas ziet Sefa wat er gebeurd is. Haar ogen dreigen als pingpongballetjes uit hun kassen te springen.

'Afschuwelijk!' prevelt ze. 'Heb je iets gehoord? Een ge-luid? Vannacht? Heb je iemand gezien?'

Fiete Kwik schudt het hoofd. 'Ik heb heerlijk geslapen. Met mijn ogen dicht. Dat is meestal zo als ik slaap.'

'Heb je gisteren misschien ruzie gemaakt? Zijn er ande-re heksen die boos op je zijn?'

'Waarom zouden ze boos op mij zijn?' gromt Fiete Kwik wat ongelovig. 'Ik ben al jaren een van de meest populaire heksen van het dorp. En mijn tuinkabouters staan hier al zo lang. Ik was van plan om ze binnenkort eens door drie andere te vervangen. Ze zijn oud en door te veel regen en wind dreigen ze uit elkaar te vallen. Maar dat is toch geen reden om hen ... Toch niet op die manier ...'

Ze komt niet uit haar woorden en kijkt vol ontzetting naar de drie hoofdjes op de grond. 'Zo gruwelijk ...' Ze schudt onbegrijpend het hoofd. 'Wie doet nu zoiets?!'

'Tja, ik weet het ook niet,' zucht Sefa. 'Als je de dader of daderes niet gehoord of gezien hebt ...'

Ze zwijgt en fronst het nadenkend het voorhoofd. Alle heksen volgen haar voorbeeld. Het wordt dan ook heel stil in het dorp. Enkel in de verte, waar het bos begint, kun je wat vogeltjes horen fluiten.

Trezebelle duwt haar neus nog wat verder tussen de planken van de omheining door. 'We kunnen misschien op zoek gaan naar sporen?'

'Jaja, natuurlijk: sporen ...' mompelt Sefa. 'Een heel goed idee! Zo goed dat ik er zelf ook aan had kunnen denken.'

Ook uit het publiek, dat in nog dichtere rijen voor het tuintje is samengetroept, stijgen goedkeurende reacties op. Een zestal heksen probeert zich gelijktijdig door het poortje naar binnen te wringen.

'Terug!' roept Sefa zo luid ze kan. 'Terug!'

De heksen blijven geschrokken staan. Of hebben ze zich met z'n allen vastgelopen in de nauwe doorgang?

'Als jullie nu door het voortuintje beginnen te ploegen, zijn alle sporen in een mum van tijd uitgewist!'

Niet zonder moeite probeert het kluwen in het poortje zich los te werken. Hier wordt er een arm losgewrikt, daar een been ... Niet eenvoudig om alles in de juiste volgorde los te krijgen. Gelukkig zijn er nog geen neuzen en oren in elkaar gehaakt.

Met krakende knieën is Sefa Bubbels inmiddels op haar hurken gaan zitten. Ze spiedt in het rond.

'Daar!'

In het mulle zand, precies tussen twee plantjes mierikswortel en vlak bij de kapotgeslagen tuinkabouters, prijken twee enorme voetafdrukken.

'Wie heeft er zulke grote voeten?' fluistert Lelijke Lura verbaasd. Tussen de benen van de volwassen heksen door heeft ze zich op haar beurt tot naast Trezebelle gewerkt.

Sefa stapt van het paadje. Met Fiete Kwik achter zich aan ploetert ze door de mulle aarde tot bij de voetsporen en plaatst er haar eigen heksenvoet naast.

'O... Ongelooflijk!' stamelt Lelijke Lura tussen haar brokkelige tanden. 'Alsof daar een reus heeft gestaan!'

Dat is niet overdreven. Hoewel Sefa Bubbels behoorlijke platvoeten heeft, zijn haar voeten maar half zo groot als de afdrukken.

Onwillekeurig draait Trezebelle zich om. Alle toeschouwers staan nu zo dicht op elkaar dat ze haar hoofd nauwelijks kan bewegen. Toch probeert ze naar de grond te kijken. Welke heks heeft zulke joekels van voeten? Eigenlijk weet ze het antwoord wel. Niemand! Dat zou haar vast al eerder opgevallen zijn.

Sefa Bubbels is intussen tot dezelfde conclusie gekomen. 'Hier zit iemand uit de buitenwereld achter ...'

Alle heksen knikken instemmend. Enfin, bijna allemaal. Een van de zes heksen uit de nauwe doorgang heeft andere zorgen. Zij is op handen en knieën op zoek naar haar valse gebit, dat tijdens het duw- en trekwerk uit haar mond is gefloept.

'Interessant, vind je niet?'

Roos Netelroos. Ook zij heeft zich tot op de eerste rij kunnen wurmen. Enkel Sybille staat nu nog achteraan. Met haar dikke billen raakt ze niet door de massa heen.

Trezebelle kijkt niet-begrijpend naar haar vriendin.

'Dit is je kans!' legt Roos uit. 'Ullebak de bullebak wou een ophefmakend artikel. Iets wat ze nergens anders meemaken. Ik zie de kop al in de krant staan: "Kabouters onthoofd in heksendorp"!'

'Ik heb nog een betere,' reageert Lelijke Lura. "Freek, Frits en Freddy verliezen hoofd door losgeslagen wildeman" ...'

Trezebelle kijkt hen vragend aan. 'Je bedoelt toch niet ... Moet ik hierover een artikel schrijven?'

'Je zou al bezig moeten zijn!' vindt Roos. 'Een goeie journaliste moet altijd haar notitieboekje bij de hand hebben.'

En ook Lelijke Lura knikt driftig. 'Ullebak had interesse voor misère. Als je deze kans kan grijpen, wacht jou ongetwijfeld een mooie toekomst.'

'Ik kan mijn toekomst niet bouwen op de misère van een ander,' vindt Trezebelle. Ze kijkt opnieuw naar Fiete Kwik. Hoewel die de ergste schok intussen verwerkt heeft, staat ze er nog altijd krijtwit bij.

'Dat doen journalisten altijd,' weet Lelijke Lura. 'Daar moet je mee leren leven.'

'Misschien help je Fiete Kwik er wel mee,' voegt Roos eraan toe. 'Misschien doet het haar goed haar verhaal aan jou te vertellen. Als niemand er aandacht voor had, zou het allemaal nog veel erger zijn.'

Tja, daar heeft ze natuurlijk een punt. Maar het zit Trezebelle toch niet lekker dat haar succes als journaliste pas mogelijk is na het onheil dat Fiete Kwik is overkomen. Bovendien vertrouwt ze het hele zaakje niet. In haar dorp is nooit eerder iets vernield. En nu, kort nadat Ullebak gezegd heeft dat hij sensatievolle artikels wil, zijn er drie onthoofde kabouters. Zou het een iets met het ander te maken hebben?

4

Na het bezoek aan de onthoofde kabouters heeft Trezebelle haar zachtste stinkzwam uit haar slaapkamer gehaald en in de voortuin achter de rozenstruik gezet. Daar zit ze perfect uit de wind en tegelijk lekker in het zonnetje. Ze kan zich geen beter stekje indenken om te schrijven.

Toch, ondanks die prachtige plek, vlot het artikel totaal niet. Elk woord kan het verkeerde zijn. Heeft zo'n stenen kabouter nu een 'kop' of een 'hoofd'? En wat doet ze met hun baarden? Noemt ze die 'wollig', 'pluizig' of 'krullend'?

Ze zucht en schrapt weer een woord. Gek dat schrijven plots zo moeilijk is. Op andere dagen borrelen de zinnen zomaar in haar op, maar nu ze een opdracht heeft, verandert alles. Het lijkt of de woorden van prikkeldraad gemaakt zijn en stug weigeren om zich te laten buigen.

Trezebelle wordt er wanhopig van. Hoe beter ze het artikel wil maken, hoe minder het opschiet. Zo zal ze Ullebak nooit kunnen bewijzen dat ze geknipt is voor de job van journaliste.

Voor de zoveelste keer herhaalt ze halfluid wat ze geschreven heeft. '*Onthoofdingen in Heksendorp, door Trezebelle. In alle vroegte sneed er vanmorgen een ijselijke gil door het heksendo...*'

Verder komt ze niet, want op hetzelfde ogenblik hoort ze een geruis boven zich. Zij kijkt op en ... jawel hoor. Daar komen Roos, Lura en Sybille op hun bezems aangevlogen. Naar vaste gewoonte landen ze op de strook tussen de worteltjes en de spinazie. In de loop van de jaren is het zand daar helemaal hard geworden.

'Aan het werk?' lacht Sybille, die als eerste de grond bereikt. 'Schiet het een beetje op?'

'Het is heel moeilijk. Misschien wil ik het te goed doen. Bij elk woord begin ik te twijfelen.'

'Aan de schrijfwijze?'

'Ook aan de inhoud. Misschien vindt Ullebak drie onthoofde tuinkabouters niet erg genoeg om er plaats voor in te ruimen in zijn krant.'

'Freek, Frits en Freddy zijn wel hun kop kwijt, hè!' blaast Roos verontwaardigd. 'Stel je voor dat het Ullebak zelf zou overkomen ...'

'Ullebak lééft,' weet Trezebelle. 'Die kabouters zijn van steen. Dat maakt een heel verschil.'

'Toch blijft het erg. Vooral voor Fiete Kwik. Ik had echt met haar te doen,' vindt Lelijke Lura.

'Natuurlijk is het erg,' geeft Trezebelle toe. 'Maar voor heksen lijkt het veel erger dan voor mensen. Gewoon omdat er in ons dorp nooit iets gebeurt wat naar misdaad ruikt.'

Dat vindt ze een mooie uitdrukking, 'naar misdaad ruiken'. Snel noteert ze de woorden onder aan het blad. Misschien moet ze alles maar schrappen en straks met die uitdrukking van start gaan.

Intussen is Sybille naar de stinkzwam toe gelopen. Over Trezebelles schouder kijkt ze naar wat die geschreven heeft.

'Drie zinnen maar ...'

Trezebelle wordt er zenuwachtig van. 'Ik zeg het toch.

45

Het schiet niet op. Ik heb veel te weinig zelfvertrouwen.'

Ze scheurt het papier uit haar schrift, propt het tot een bolletje en gooit het tussen de slakroppen.

'Wat doe je nu?'

'Ik stop ermee. Ik ben haast zeker dat het Ullebak niet interesseert. Onthoofde tuinkabouters zeggen hem niets. Voor hem moet het vast allemaal nog een stuk erger!'

'Dat kun je niet maken!' vindt Roos Netelroos. 'Je mag deze kans niet laten liggen! Je hebt als journaliste trouwens een taak.'

'Huh?' Niet-begrijpend kijkt Trezebelle haar aan.

Roos knikt zo hevig met haar spichtige kin dat het lijkt of ze de lucht in stukken probeert te snijden. 'Je moet dat mysterie van die voetstappen oplossen. Volgens mij heeft iemand uit de buitenwereld er de hand ... euh ... de voet in. Mijn kop eraf als ik me vergis ...'

'Tja, dat hebben die arme tuinkabouters vlak voor hun onthoofding wellicht ook gedacht ...' reageert Lelijke Lura. 'Mijn kop eraf ...'

'Maar Roos heeft wel gelijk!' neemt Sybille met de Dikke Billen het over. 'Als journaliste ben je verplicht om die zaak uit te pluizen. Wie heeft dit op haar of zijn geweten en waarom?'

Trezebelle zucht diep. Ze stapt naar haar bezem, die ze gewoontegetrouw naast het flapdeurtje heeft gezet. *Mijn vriendinnen hebben gelijk,* weet ze. *Een goeie journaliste zou zoiets moeten uitvlooien.*

Alleen weet ze helemaal niet of ze wel zo'n goede journaliste is. Misschien moet ze de hele zaak maar zo vlug mogelijk vergeten ...

Op school is Trezebelle er niet echt met haar gedachten bij. Ze loopt de klas in zonder de juf zelfs maar één keer te neuzeneuzen. En wanneer ze etterpuistjes in zoetzure saus moet bakken, vergeet ze er de zoetzure saus bij te doen.

'Problemen?' vraagt de juf zodra ze even met Trezebelle alleen is.

Het meisje met de valse neus haalt mistroostig haar schouders op.

'Zeg het maar ...'

'Ik ... Ik weet niet of ik het kan ...' hakkelt Trezebelle ten slotte. 'Schrijven, bedoel ik. Tot gisteren kwamen de zinnen zomaar in me op, maar nu ik voor de krant een artikel over die onthoofde tuinkabouters wil schrijven, lijken de woorden vastgeroest in mijn hoofd.'

'Vastgeroest in je hoofd ...' herhaalt de heksenjuf.

Trezebelle knikt. 'Vastgeroest in mijn hoofd.'

'Dat vind ik anders een heel mooie uitdrukking,' glimlacht de heksenjuf. 'Ik denk niet dat iemand zonder schrijftalent die zin zou kunnen bedenken.'

En zo weet ze Trezebelle dan toch weer moed te geven. Misschien moet ze vanavond vol goede moed opnieuw beginnen. Misschien komt het dan toch nog in orde met dat artikel.

47

Als ze na schooltijd bij de bezemparking op het schoolplein staan, probeert Lelijke Lura haar op te vrolijken.

'De zon schijnt. Wat denk je van een frisse duik?'

Trezebelle kijkt naar Sybille met de Dikke Billen. Zij houdt niet van water: het is haar veel te nat. Maar voor één keer pruttelt Sybille niet tegen.

'Prima. Maar ik moet wel eerst naar huis om mijn zwanenvleugels aan te doen.'

'Zwanenvleugels?' reageert Roos stomverbaasd.

'Mams vond me te groot en te dik voor een tweedelig badpak met vleermuisvleugeltjes,' legt Sybille uit. 'Ik kreeg alles er niet meer in. Ik heb nu een bovenstuk van hagelwitte zwanenvleugels. Fraai hoor!'

'En je broek? Is die ook van zwanenveren?' wil Trezebelle weten.

'Geen pluimen op mijn billen!' antwoordt Sybille. 'Maar dat bovenstukje van zwanenvleugels vind ik wel heel mooi. Ik lijk er echt heel slank mee.'

Ze probeert een elegante beweging te maken, wat niet echt lukt. Trezebelle moet erom lachen. Die vriendinnen van haar toch! Ze doen er echt alles aan om haar gedachten af te leiden, zodat ze zich straks weer met goede moed op het artikel kan gooien ...

Trezebelle bekijkt zichzelf in de gebarsten spiegel die al sinds heksenheugenis boven aan de trap staat. Ze ziet er veel te goed

uit in haar strakke, glimmende bikini. De zwarte vleermuis-
vleugels passen perfect rond haar lijfje. Gelukkig is de valse heksenneus er nog. Samen met de waterbestendige wratten, die
zulke stevige zuignappen hebben dat je ze probleemloos van
buik naar rug kunt verplaatsen en terug, geeft die neus haar het
uiterlijk van een echte heks.

Gelukkig maar! Nu haar vriendinnen er alles aan doen
om haar op te vrolijken, heeft Trezebelle er meer dan ooit
behoefte aan om er heel heksig uit te zien. Ze wil erbij
horen en zijn zoals zij. En toch voelt ze ook dat ze anders
is. Die drang om te schrijven, bijvoorbeeld ... Zou dat een
typisch menselijk trekje zijn? Geen van de andere heksen
heeft er last van.

Ze probeert er niet te veel aan te denken, neemt haar bezem
en roept haar moeder toe dat ze nog even gaat zwemmen.
Tegelijk spookt er een bang voorgevoel door haar hoofd.
Stel je voor dat er tijdens haar afwezigheid een nieuwe ramp
gebeurt ... Misschien slaat de misdadiger opnieuw toe?
Misschien zijn de drie onthoofde tuinkabouters maar een
kleine voorbode van wat er nog te gebeuren staat?

5

Vanop haar heksenbezem ziet Trezebelle al van ver Sybille met de Dikke Billen aan de rand van de waterplas liggen. Omdat Sybille altijd heel snel rood kleurt onder de felle zon (waarna ze haar verbrande vel in rode repen van haar lijf kan trekken) heeft ze een emmer zonnebrandcrème meegebracht. Met haar twee handen schept ze daaruit gulzig het witte goedje. Ze kwakt de crème met zo'n geweld op haar blote buik en billen, dat Trezebelle het geluid tot boven in de lucht kan horen.

Pletsjjj! Pletsjjj! Pletsjjj!

Al snel ziet Sybilles hele lijf even wit als de zwanenvleugels van haar bikini. Van hoog in de lucht lijkt het nu of er een monumentale berg kwark aan de rand van de waterplas is aangespoeld.

Trezebelle moet er onwillekeurig om glimlachen. Sybille háát zon, háát strand, háát water. Als ze met de klas moet gaan zwemmen, steekt ze nooit veel meer dan haar kleinste teen in het water. En toch ligt ze nu als een witgepleisterde zonnegodin aan de rand van de waterplas. Lief toch, dat ze zelfs wil gaan zwemmen om Trezebelle wat af te leiden van haar schrijfproblemen.

Wat verder in het water zwemt Roos intussen al vrolijk rond. Snuivend als een zeehond dartelt zij door het nat, met een spoor van blinkende haarschilfertjes achter zich aan. Van hoog in de lucht lijkt het wel alsof er een sierlijke serpentine glinsterend over het wateroppervlak kronkelt.

Maar waar is Lelijke Lura?

Raar is dat. Zij is nergens te zien. En dat terwijl zij het dichtst bij de waterplas woont.

Omdat Trezebelle niet eeuwig en altijd in cirkeltjes kan blijven vliegen, zet ze de landing in. Ze parkeert haar bezem vlak bij Sybille, stapt op haar af en gaat naast haar zitten.

'Lelijke Lura al gezien?'

'Niet geblubt,' antwoordt Sybille. Terwijl ze spreekt, ontstaat er een grote, doorschijnende zonnecrèmebel op haar lippen.

Trezebelle zucht. 'Je moet je lippen niet insmeren. Die verbranden niet.'

'Mijn blubben ...' begint Sybille. Ze veegt met de rug van haar hand over haar lippen. 'Mijn lippen verbranden wél! Ik heb een heel gevoelige huid, nog gevoeliger dan baby-billetjes ...'

Trezebelle weet dat het geen zin heeft om er een discussie over te beginnen. Het heeft trouwens nooit zin om met Sybille over welk onderwerp dan ook een discussie te beginnen. Sybille heeft altijd gelijk, zo simpel is dat ...

Ze kijkt dus maar naar Roos, die nu op haar rug ligt te

51

drijven, haar kromme, wrattige tenen kriebelend boven het wateroppervlak.

Lelijke Lura zal zo wel komen, schiet door Trezebelles hoofd. Van haar drie vriendinnen houdt Lelijke Lura wellicht nog het meest van water. Het is abnormaal dat zij zo lang op zich laat wachten.

Onwillekeurig spieden Trezebelles ogen de lucht af. Maar nee hoor. Ook in de verste verte ziet ze Lura nog altijd niet komen aanvliegen.

Tot ...

'Verschrikkelijk gewoon!'

Lelijke Lura!

Tot Trezebelles verbazing komt de lelijkste heks niet uit de lucht gevallen. Nee, ze staat plots achter een struik aan de rand van het bos, op enkele meters van Trezebelle en Sybille. In elke hand heeft ze een dooie tak.

'Een schande is het! Wie doet nu zoiets?'

Ze zwaait woest met de twee takken, alsof ze op die manier iets duidelijk probeert te maken. En plots ziet Trezebelle het ... De takken zijn geen takken! Het zijn twee delen van Lura's heksenbezem. Nu Lura vanachter de struik tevoorschijn komt, ziet Trezebelle heel duidelijk hoe er aan een van beide helften een takkenbos bungelt.

'Wat ... Wat is er gebeurd? Dat is jouw bezem toch niet?'

'Toch wel!' foetert Lura. Ze gooit de stokken zomaar op het strand.

Sybille is intussen vol verbazing rechtop gaan zitten, waardoor de zonnebrandcrème in dikke brede strepen tot op haar vetbandjes glijdt.

'Doorgebroken?' vraagt de dikke heks, terwijl ze met ogen vol ongeloof haar kleine en magere vriendin bekijkt. Het lijkt Sybille nogal onwaarschijnlijk. Als er zelfs bezems gemaakt worden die háár gewicht kunnen torsen ...

'Doorgezáágd!' antwoordt Lelijke Lura pisnijdig. Haar ogen zijn nu zulke dunne spleetjes geworden dat ze er onmogelijk nog veel door kan zien. Ze stapt naar het kortste stuk toe en schopt er zo hard tegen dat het een eindje weg vliegt.

'Dat kan niet!' antwoordt Trezebelle. 'Er moet een andere oorzaak zijn. Misschien is het de memel wel.'

'Niks te memelen!' reageert Lura. 'Doorgezaagd!' Ze grijpt het andere stuk van de bezem – dat met de takkenbos nog aan – en gooit het naar Trezebelle.

Die pakt het nieuwsgierig vast en bestudeert het. Intussen vallen er dikke, smeuïge druppels als witte vogelstrontjes op haar neer. Sybille met de Dikke Billen natuurlijk ... Zij is opgestaan en heeft zich geïnteresseerd over Trezebelle gebogen.

'Je hebt nog gelijk ook!' fluistert Trezebelle ontzet. 'Geen twijfel mogelijk ... Doorgezaagd!'

Ze beweegt haar duim onderzoekend over de zaagsporen in het hout. Je kunt zó zien dat de bezem voor meer dan de helft doorgezaagd is. Wat er nog overbleef, is afgebroken.

'Levensgevaarlijk!' fluistert Roos, die intussen uit het water is gekomen. Ze fluit veelbetekenend tussen haar tanden. Dat kost haar weinig moeite. Tussen haar beide voortanden zit zo'n grote spleet dat ze al begint te fluiten als ze bij felle wind inademt. Soms speelt ze thuis wel eens voor fluitketel. Dan vraagt haar moeder haar om in de keuken te gaan staan en in te ademen zodra het water heet is.

'Natuurlijk is dat levensgevaarlijk!' roept Lelijke Lura uit. 'Met een beetje minder geluk had ik mijn nek gebroken!'

'Was je dan al in de lucht?' wil Sybille weten.

'Gelukkig niet. 't Is bij het opstijgen gebeurd. Toen ik erop ging zitten en mijn toverspreuk zei, brak mijn bezem gewoon doormidden. Een geluk dat ik geen vijftig meter hoger zat!'

'Stel je voor!' fluistert Sybille met de Dikke Billen ontzet. Ze krijgt het er zo warm van, dat ze beide zwanenvleugels vastgrijpt en er als waaiers mee flappert. Dat helpt even.

'Heb je er een idee van wanneer dit gebeurd is?' wil Trezebelle weten.

Lelijke Lura trekt een pruillip. Ze staart nadenkend voor zich uit. 'Op school is onmogelijk. Dan had ik het vast eerder gevoeld.'

'Thuis dus ... Ben je lang binnen geweest?'

'Gewoon. Ik heb mijn bezem tegen de gevel gezet en ben naar binnen gelopen. Snel mijn bikini aan en ... O ja, ik heb ook nog even gewacht tot mams klaar was met het galroomsausje dat ze stond te maken. Ze wil altijd dat ik daar even van proef. Gewoon om te weten of er genoeg zout en peper in zit en zo ...'

'Hoe lang heeft die bezem daar dan alleen gestaan?' wil Sybille weten. Trezebelle zou willen dat ze ergens anders ging staan. Dat kleverige goedje blijft maar op haar druppen.

'Vijf minuten. Tien misschien. Langer was het zeker niet.'

'Het lijkt er dus op dat iemand je bij jouw thuiskomst stond op te wachten,' concludeert Trezebelle als een echte detective.

'Iemand die jou wilde vermoorden!' voegt Roos er onheilspellend aan toe.

'Ver... Vermoorden?!' hakkelt Lelijke Lura. 'Beginnen we nu niet wat te overdrijven?'

'Nee, we drijven niet over!' bijt Roos terug. 'Doorgezaagde bezems zijn heus geen grapje! Als die bezem in de lucht doormidden was gebroken, was jij nu morsdood. Ik blijf erbij: dit is een moordpoging!'

'Meer zelfs! Als dit plannetje was doorgegaan, was het moord met voorbedachten rade ...' neemt Trezebelle het over. In gedachten ziet ze de vier laatste woorden als kop van een krantenartikel voor haar ogen verschijnen. 'Iemand die een bezem middendoor zaagt, heeft heel lugubere plannen. Die wil jou duidelijk om een of andere reden uit de weg ruimen ...'

'Waarom mij?' reageert Lelijke Lura ontzet. 'Ik heb met niemand ruzie. Ik heb niemand ooit ook maar iets in de weg gelegd!'

'Dat gaan we nu uitzoeken!' besluit Trezebelle. Niet zonder moeite worstelt ze zich onder Sybille uit. Het lijkt nu meer en meer alsof die geweldige vleesberg boven haar is beginnen te smelten en het vet in een papperige, witte brij traag maar zeker naar beneden drupt.

'Goed gesproken!' vindt Roos. 'Eerst die tuinkabouters en nu dit ... We moeten ingrijpen voor het te laat is!'

Hoewel je er door de lucht snel bent vanaf de waterplas, is het te voet een hele tocht tot bij Lura thuis.

'Oké. Ik wil alles weten!' zegt Trezebelle als ze eindelijk bij de voortuin arriveren. 'Waar stond die bezem?'

'Daar!' Lelijke Lura wijst naar een plaats tegen de gevel.

Nog voor ze het hekje kan openen, wordt Trezebelle zowat onder de voet gelopen door Sybille, die de tuin al in wil stormen om het mysterie op te lossen.

'Hier blijven!'

'Waarom?'

'Omdat je anders alle sporen dreigt te vernietigen!'

Trezebelle wacht tot Sybille weer achter haar staat en doet dan pas het hekje open. 'Denk erom! In mijn spoor blijven.'

Als soldaten op een rij stappen ze over het tuinpad naar de plaats die Lelijke Lura heeft aangewezen. Daar gaat Trezebelle op haar knieën zitten. Ze klauwt in de grond en kijkt naar het zand in haar hand.

'Niks! Geen zaagmeel. Hoe kan dat nu?'

'Omdat er dáár zaagsel ligt,' zegt Roos Netelroos. Ze wijst naar een plek wat verder in de tuin waar een oude bierkrat staat. 'De moordenaar heeft de bezem op die krat gelegd. Dat zaagt een stuk makkelijker.'

Ze heeft nog gelijk ook. Zowat halverwege de tuin, vlak naast de oude bierkrat, ligt flink wat zaagsel. Van de plaats waar ze nu staat, kan Trezebelle het heel duidelijk zien.

'En kijk daar eens!' wijst Sybille met de Dikke Billen. Ze steekt een witte wijsvinger voor zich uit.

Inderdaad ... Vlak bij de bierkrat bevinden zich in het mulle zand ... twee enorme voetafdrukken!

'Die twee overzetboten zijn hier ook geweest!' reageert Trezebelle.

'Mijn kop eraf als die voetafdrukken niet identiek zijn aan de sporen die we vanmorgen in de tuin van Fiete Kwik hebben aangetroffen,' mompelt Roos Netelroos.

'Die koppensneller is dus ook een zageman!' besluit Lelijke Lura. Samen met Sybille stapt ze voorzichtig in de richting van de bierkrat.

Enkel Trezebelle blijft nadenkend staan, met haar voorhoofd in een diepe frons. 'Ik snap het niet ...'

'Wat snap je niet?' vraagt Roos.

'Die voetstappen.'

'Hoe bedoel je?'

'Hoe die daar gekomen zijn.'

Lelijke Lura zucht diep. 'Tja, hoe komen voetstappen in het zand? Omdat er iemand gelopen heeft, natuurlijk!'

'Dat weet mijn kleine heksenteen ook,' blaast Trezebelle geërgerd terug. 'Maar hoe verklaar je dat er maar twéé voetstappen zijn? Net als vanmorgen. Normaal lopen mensen heen en terug. Dan zou je toch een hele reeks voetstappen moeten zien ...'

'Ook waar,' geeft Sybille toe.

'Tenzij het toch een heks is,' mompelt Roos nadenkend.

'Alsof die niet lopen,' spot Lelijke Lura.

Roos zucht geërgerd. 'Een heks kan op haar bezem komen aanvliegen!' legt ze dan uit. 'Ze kan landen, haar ding doen en weer opstijgen. Op die manier heb je maar twee voetafdrukken ...'

'Maar ik ken geen enkele heks die zoiets zou doen!' sputtert Sybille tegen. 'Wij slaan toch geen kabouters de kop in? En wij gaan al helemaal niet proberen elkaar te vermoorden. Dat doen wij niet ...'

'En ik ken geen enkele heks die zulke grote voeten heeft,' stemt Lelijke Lura in. 'Grote neuzen, ja! Maar toch geen monsterachtige voeten!'

Als bewijs zet ze haar eigen voet naast een van de voetafdrukken in het zand. Het contrast is enorm.

Een probleem dus. Er valt een stilte, waarin iedereen nadenkend voor zich uit staart. Tot Lelijke Lura plots begint te snotteren.

'Dit ... Dit is verschrikkelijk! Dit hebben we in ons dorp nog nooit eerder meegemaakt. Ik snap het niet! Waarom wil iemand mij vermoorden? Ik heb toch niks misdaan?'

Het komt er zo hartverscheurend uit, dat Trezebelle op haar beurt tegen haar tranen moet vechten. In een mum van tijd staat ze naast haar vriendin. Ze slaat haar arm om haar heen.

'Trek het je niet aan. Je bent niet neergestort. En je zult zien: het komt allemaal wel goed. Ik beloof je de hele zaak uit te pluizen. Zodra ik weet wie dit op zijn of haar geweten heeft, schrijf ik er een artikel over waarin ik de schuldige aan de schandpaal nagel.'

'Echt?' vraagt Lelijke Lura. 'Wil je dat doen voor mij? Ga je echt zo'n artikel schrijven?' Met een scheve glimlach om haar heksenmond kijkt ze Trezebelle hoopvol aan. Het lijkt of ze al haar verdriet al meteen vergeten is.

'Natuurlijk! Die onverlaat is echt een stap te ver gegaan. Stenen kabouters de kop inslaan tot daar aan toe, maar als ze het op jou gemunt hebben ...'

Ze trekt Lelijke Lura nog wat dichter tegen zich aan. Harder knijpen kan nu echt niet meer. Lura's broze botten beginnen al onheilspellend te kraken.

'Begin er dan maar zo vlug mogelijk aan!' zucht Roos. 'Wie weet wat die kwibus nog van plan is! Wanneer zal hij opnieuw toeslaan en hoe?'

'Goeie vraag!' zucht Trezebelle. 'Ik hoop dat ik er in mijn artikel een antwoord op kan geven ...'

'Dat zal niet makkelijk zijn,' weet Sybille. 'Er zijn veel te weinig aanknopingspunten om die moordenaar te ontmaskeren ...'

'Juist!' zegt Roos. 'We kennen niet eens het motief. Zolang je dat niet hebt, is het moeilijk om de dader te vinden.'

'Maar Trezebelle heeft in elk geval wel genoeg materiaal om een heel ophefmakend artikel te schrijven!' weet Lelijke Lura. 'Een moordpoging ... Als die Ullebak nu nog durft beweren dat zoiets niet ophefmakend is ...'

'Zo'n artikel zet vast het hele onderzoek in een stroomversnelling,' vindt Roos. 'Misschien zijn er speurders die er iets uit kunnen opmaken ...'

'Hoe meer ik jullie bezig hoor, hoe meer het kriebelt!' geeft Trezebelle toe.

'Waar wacht je dan nog op!' roept Lelijke Lura. 'Je moest al op je stinkzwam zitten schrijven.'

'Juist!' vindt Roos 'Dat artikel moet vanavond nog bij de krant zijn. Zo gaat dat nu eenmaal in de wereld van de journalisten.'

Trezebelle denkt even na. 'Oké! Ik vlieg al.'

'En wij vliegen vanavond samen met jou naar de redactie van de kra...' Nog voor ze haar zin af kan maken, stopt Lelijke Lura. Ze kijkt naar de twee stukken bezem die ze de hele weg met zich mee heeft gezeuld en realiseert zich dat er in haar geval van vliegen niet veel meer terecht zal komen.

Trezebelle merkt Lura's ontgoocheling op. Ze trekt het kleine heksje nog een laatste keer dicht tegen zich aan.

'Trek het je niet aan, meid. Ik wilde dat artikel hoe dan ook in mijn eentje gaan inleveren. Die Ullebak vond het toch al niet zo'n goed idee dat we tijdens het eerste bezoek met z'n vieren waren ...'

'En wat die kapotte bezem betreft, dat valt wel mee!' probeert Sybille Lura op haar beurt te troosten. 'Je mams had je toch al een nieuwe bezem beloofd. Misschien moet ze die gewoon maar een weekje eerder kopen.'

Haar woorden hebben blijkbaar effect. Lelijke Lura staat er alweer glunderend bij.

'Je hebt gelijk. Het valt allemaal wel mee. Wie weet ... Misschien is Trezebelle me ooit nog dankbaar omdat mijn bezem doormidden werd gezaagd ... Misschien heeft zij haar carrière als journaliste wel daaraan te danken!'

6

Meer dan vier uur aan één stuk zit Trezebelle in haar kamer. Meer dan vier uur aan één stuk werkt ze aan het krantenartikel. Dan pas legt ze haar pen neer en herleest ze waar ze zo hard op gewroet heeft: HEKSENDORP IN BAN VAN TERREUR!

Geef toe, er hebben wel flauwere titels in de krant gestaan ...

In een soepele, vloeiende taal beschrijft ze vervolgens de avonturen van de afgelopen dag. Ze weet het mooi op te bouwen. Het artikel begint lekker spannend bij de gil van Fiete Kwik en de onthoofding van Freek, Frits en Freddy. Maar écht bloedstollend wordt het pas als Trezebelle beschrijft hoe Lura's bezem doormidden breekt en de winnares van de laatste Miss Lelijkheidsverkiezing van zo'n drie meter hoog naar beneden dondert.

Oké, toegegeven, dat laatste is wat overdreven. In werkelijkheid brak de bezem al voordat Lura twintig centimeter van de grond was, maar omwille van het effect mag een en ander best wat aangedikt worden.

Als ze het artikel gelezen, herlezen, herlezen, herlezen en nog eens herlezen heeft, blijft Trezebelle met gemengde gevoelens zitten. Jammer toch dat er veel meer vragen dan antwoorden in haar tekst staan. Wie is die man? (Het moet wel een man zijn: Trezebelle heeft nog nooit een vrouw met zulke grote voeten gezien.) Waarom doet hij wat hij doet? Wil hij Lelijke Lura treffen of heeft hij het op de heksen in het algemeen gemunt? Is het misschien een oude bekende die eerder al eens met de heksen overhoop heeft gelegen en nu op wraak zint? Maar wie dan wel?

Vragen, vragen, vragen. Het irriteert Trezebelle mateloos dat ze er zelfs geen begin van een antwoord op heeft gevonden. Anderzijds is ze over het artikel zelf best tevreden. Het is spannend, het leest vlot en ... het is ook niet te lang. Dat is ook niet onbelangrijk. Kranten moeten heel oordeelkundig met de beschikbare ruimte omspringen.

Pas als ze het artikel voor de zesde keer herlezen heeft en heel zeker is dat er geen stomme schrijffouten meer in staan, loopt Trezebelle haar kamer uit en de trap af. Ze flapt de deurtjes van de woonkamer open.

'Ik moet dringend weg.'

'Nu nog? Het is al donker.'

Haar moeder stopt met het uitknijpen van haar steenpuisten. Ze kijkt haar dochter verbaasd aan.

'Nog even naar Lelijke Lura. Ik heb problemen met mijn huiswerk. Die nieuwe toverspreuk wil maar niet lukken. Ik weet niet wat er mis is, maar ik krijg iedere keer kikkerdril in plaats van kikkerbil.'

'Het heeft vast met je uitspraak te maken,' zucht mama.

'Ik heb je al zo vaak gezegd dat je goed moet articuleren. De tijd nemen om alles rustig uit te spreken. Ga nu maar. Ik zou niet willen dat je morgen slechte punten haalt op school.'

Trezebelle moet ervan slikken. Ze houdt er niet van om tegen haar moeder te liegen. Maar dit is natuurlijk een noodgeval. Stel je voor dat Ullebak het artikel weigert. Dan denkt mama misschien dat Trezebelle als journaliste een dikke nul is. Dat wil ze liever vermijden ...

In het andere geval, als het artikel wél aanvaard wordt, is de verrassing alleen maar groter. Als Trezebelle morgen haar eerste publicatie onder mama's heksenneus drukt, is die vast zo verrast dat de puist tussen haar derde en vierde teen er spontaan van openbarst ...

Gevaarlijk! Levensgevaarlijk!

Trezebelle is al hoog in de lucht als die woorden plots in haar opkomen. Iemand kan háár bezem ook wel eens middendoor gezaagd hebben. Zolang ze niet weet wie er achter de aanslagen zit en waarom, is alles mogelijk.

Bang laat ze haar handen tastend over het gladde berkenhout bewegen. Gelukkig voelt ze nergens een snee in het hout. Maar ze is er nog altijd niet helemaal gerust op. Misschien is er toch iets mis.

Ze hoopt maar dat Lelijke Lura het voorval inmiddels aan haar moeder verteld heeft en dat die op haar beurt het hele heksendorp op de hoogte gebracht heeft. Alle heksen moeten hun bezems controleren voordat ze opstijgen. Niemand mag zich nog veilig wanen.

Meteen snapt Trezebelle ook het belang van haar artikel. Het móét gepubliceerd worden! Op die manier is ze zeker dat alle dorpsgenoten van het gevaar op de hoogte zijn.

Intussen is ze de krantenredactie al genaderd. Van hoog in de lucht ziet het gebouw er een beetje als een slagschip uit. In een zee van duisternis drijft het dreigend en indrukwekkend rond.

Op de parkeerplaats zet ze haar bezem onder het afdak van de fietsenstalling. De maan is kopje-onder gedoken achter de wolken en het is in korte tijd stikdonker geworden. Achter de felverlichte ramen van het gebouw ziet ze mensen zenuwachtig heen en weer lopen. Anderen zitten aan een bureau achter een computertje en tikken teksten in. De hele redactie doet haar denken aan een rusteloos gonzende bijenkorf.

Trezebelle stapt in de richting van de grote glazen toegangsdeur. In haar hand houdt ze de tekst die haar hele toekomst kan bepalen. Ze voelt zich op een vreemde manier gespannen. *Tok tok tok*, gaat haar hart. Alsof er een specht in haar lijfje is gekropen.

Maar ... Wat is dat ...?

Ze is nog een tiental meters van de felverlichte hal verwijderd en plots ziet ze ... het komische duo! De lange, magere journalist en de korte, dikke fotograaf! Druk pratend lopen ze in de richting van de dubbele glazen deur.

Zonder erbij na te denken, duikt Trezebelle achter een vuilniscontainer weg. Tegelijkertijd raast er één zin door haar hoofd: *Die lange moet wel enorme voeten hebben!*

Terwijl de specht in haar lijf nog harder begint te hameren, duwt ze haar neus dichter tegen de container. Niet leuk, want de inhoud stinkt als de pest. Bovendien klapt haar valse heksenneus er helemaal dubbel van. Ze had hem beter af kunnen doen en in haar zak kunnen steken, maar daar had ze geen tijd voor.

In haar ongemakkelijke positie hoort ze stemmen dichterbij komen.

'De hele nacht op mijn gat zitten ...'

'Gelukzak! Ik had ook fotograaf moeten worden! Stel je voor dat ze mij betrappen ...'

De rest van het gespek kan ze niet horen. De mannen zijn dan al te ver van haar vandaan. Ze lopen de parkeerplaats op en gaan daar uit elkaar, elk naar zijn eigen auto.

Pas als ze al meters van haar vandaan zijn, durft Trezebelle eindelijk haar heksenneus achter de container uit te steken. De bonenstaak zit op dat ogenblik al dubbelgevouwen achter het stuur van zijn wagen.

Ben ik toch vergeten naar zijn voeten te kijken!

Maar ze is er vrij zeker van ... Iemand die zó groot is, moet wel reuzenvoeten hebben. Als de man een schoen uitdoet en in de rivier zet, kan er vast een hele muizenkolonie droog de overkant bereiken.

Terwijl ze hoort hoe op de parkeerplaats twee wagens starten, probeert Trezebelle haar gedachten te ordenen. Wat moet ze doen? Moet ze de mannen volgen of moet ze met haar artikel naar Ullebak toe?

Maar is Ullebak wel te vertrouwen?

Een nieuwe vraag. Als een tennisbal ketst hij tegen de blinde muur van haar verstand.

Ze probeert zich haar eerste bezoek aan de redactie voor de geest te halen. Ullebak die als een bullebak door de gang liep, die haar uitlachte om haar artikel dat hij veel te braafjes vond ... Ullebak die zei dat hij vooral geïnteresseerd was in dingen die fout liepen ... Ullebak die de journalist grappend de opdracht gaf een paar heksen aan hun neus te gaan trekken ...

Een afschuwelijk vermoeden steekt plots de kop op. Zou het kunnen dat Ullebak de journalist écht naar het heksendorp heeft gestuurd? Zou het kunnen dat die lange de opdracht had Freek, Frits en Freddy de kop in te slaan en de bezem van Lelijke Lura door te zagen?

Het is niet onmogelijk ... Kranten verkopen beter als ze met sensationele artikels kunnen uitpakken, heeft Ullebak haar zelf verteld.

Gedurende enkele seconden blijft het meisje stokstijf zitten. Dan gaan er twee nieuwe vragen als een dubbele rilling door haar lijf.

Welke opdracht heeft de journalist deze nacht gekregen? Waarom is Langemans zo bang om betrapt te worden?

Het volgende ogenblik is haar beslissing genomen. Ze veert op en snelt naar haar bezem.

Het artikel kan wachten! Ik moet een nieuwe ramp vermijden!

70

In een mum van tijd staat ze in de fietsenstalling, wijd-beens over haar vliegstok. 'Simsallatrezem, voer mij weg op mijn bezem!'

Haar stem schalt zo luid door de nacht dat de bezem als een magneet tot tegen haar billen wordt getrokken. Het volgende ogenblik zoeft ze de lucht in.

Booooing!

Met een gil stort Trezebelle op de grond.

Shit! Het fietsenrek ... Ze was helemaal vergeten dat er een glazen koepel overheen zat.

Terwijl ze over haar pijnlijke schedel wrijft, krabbelt ze over-eind. Ze trekt de bezem nu een paar meter verder, tot in de bui-tenlucht.

'Simsallatrezem, voer mij weg op mijn bezem!'

Dit keer lukt het probleemloos. Ze schiet de lucht in. Voor ze het weet, is ze vijftig, misschien wel honderd meter hoog. De koudere luchtlaag waarin ze zich nu bevindt, doet haar duidelijk goed. Alsof haar oververhitte hersenen ervan afkoelen.

Zal ik de auto van Bonenstaak volgen?

Dat is heel goed mogelijk. Met haar bezem heeft ze de auto's, die in de diepte voor haar uit rijden, zo ingehaald. Ze kan even laag over de daken scheren om zich ervan te vergewissen dat ze de juiste auto in het vizier heeft en hem dan perfect blijven volgen.

Maar wat win ik daarmee? Hoe kan ik Langemans ooit stoppen? Hol ik op die manier niet de hele tijd achter de feiten aan?

Misschien kan ze beter alvast naar het dorp vliegen en daar de andere heksen op de hoogte brengen van haar ontdekking. Als haar bezem eenmaal op kruissnelheid is, gaat die veel sneller dan een auto die de wegen moet volgen. Misschien moet ze het haar moeder vertellen? Of de heksenjuf? Of Sefa Bubbels? Of Potige Petra!

Als die laatste hoort wat Langemans allemaal van plan is, knijpt ze ongetwijfeld het merg uit zijn ruggengraat. Misschien kan ze het nog gebruiken voor in de soep of zo.

Hoewel die gedachte Trezebelle wat troost brengt, steekt er alweer een nieuw idee de kop op.

Misschien moet ik toch maar voor mijn vriendinnen kie-

zen, *liever dan voor een volwassen heks. Zij hebben mij de hele tijd gesteund toen ik het moeilijk had met het schrijven van het artikel.*

Haar besluit staat dus vast. Ze zal zo snel mogelijk naar het dorp vliegen en haar vriendinnen een voor een waarschuwen. Van sterk naar zwak: eerst Sybille, dan Roos en dan Lura. Als die journalist sneller in het dorp arriveert dan verwacht en als het tot een gevecht zou komen, heeft ze aan Sybille ongetwijfeld de grootste steun.

Terwijl ze haar toverspreuk keer op keer blijft herhalen, suist Trezebelle het heksendorp tegemoet. Als een baken van licht doemt de gigantische Heksenneus* al snel voor haar op. Het geeft haar altijd een heel fijn gevoel die verlichte neus vanuit de lucht te kunnen zien. Alsof het een symbool is voor de eenheid tussen alle heksen.

Tegelijk bekruipt haar een vreemd voorgevoel ... *Stel je voor dat Bullebak en zijn journalist met een nóg ophefmakender artikel willen uitpakken. In dat geval zullen ze de Heksenneus misschien wel willen vernielen. Vreselijk!*

Omdat er niemand haar zo hoog in de lucht kan horen, gilt ze de toverspreuk nog harder. En niet zonder effect. Ze gaat nu zo snel dat haar valse heksenneus er dubbel van vouwt, waardoor een van de harige wratten in haar oor prikt.

Al snel ziet ze de eerste heksenhuisjes onder zich. Zoals altijd is het huis van Sybille met de Dikke Billen duidelijk

---

* Zie *Heksenneus.*

herkenbaar. Het heeft grotere flapdeuren, zodat haar dikke billen niet tegen de deurstijl schuren als ze naar binnen of buiten gaat.

Gauw brengt Trezebelle de bezem tot landing. Best spannend als je zo'n snelheid hebt! Ze schuift zo hard door het opstuivende zand dat haar voetzolen ervan nagloeien. Bijna was ze met haar hoofd tegen de gevel geknald. Maar daar wil ze liever niet aan denken. Ze springt van haar bezem, klapt de flapdeurtjes open en loopt het huisje in.

In de woonkamer liggen Sybille en haar moeder zij aan zij plat op hun buik naar het aquarium te kijken. Spannend toch, hoe de vissen elke avond voor weer een ander programma zorgen. Sybille houdt daarbij een gigantische zak gedroogde etterpuistjes in haar hand. Ze dipt ze een voor een heel zorgvuldig in een kommetje pindasaus, maar vergeet haar bezigheden wanneer Trezebelle plotseling voor haar staat.

'Wat ... Wat kom jij hier doen?'

'Meekomen. We moeten ons dorp redden!'

'Huh?' Sybille kijkt haar niet-begrijpend aan. 'Ik snap er niks van. Jij was toch je artikel gaan wegbrengen? Is het aanvaard?'

Trezebelle weet dat ze de tijd niet heeft om alles uit te leggen. Ze stapt tot bij Sybille en trekt de zak met etterpuistjes uit haar hand.

'Meekomen!'

Zonder er nog een woord aan toe te voegen, draait ze zich om en loopt naar buiten. Goeie gok. Waar snoep is, wil Sybille ook zijn. Trezebelle is nauwelijks op het tuinpad aanbeland als Sybille haar protesterend achterna komt gelopen.

'Mijn etterpuisten! Ik wil mijn etterpuisten terug!!'

Een paar minuten later loopt Roos ook al aan hun zijde. Zij heeft haar pyjama aan en haar heksenhoed zo diep over haar oren getrokken dat je voor een keer geen haarschilfers kunt zien. Ze loopt er zo slaperig bij dat het lijkt of haar ogen dichtgeplakt zijn met koffieprut.

'Wat gaat er gebeuren? Ik lag al te maffen!'

'Eerst Lelijke Lura erbij!' antwoordt Trezebelle. 'Ik heb geen zin om alles drie keer te moeten uitleggen.'

'Maar je kunt toch al wel iets kwijt!' vindt Sybille, die haar pak gedroogde etterpuistjes terug veroverd heeft en er met volle mond van loopt te smullen. 'Iets moet je toch vertellen.'

Trezebelle antwoordt niet. Zo snel haar benen haar kunnen dragen, loopt ze in de richting van Lura's huis. Tot haar ontzetting ziet ze dat alle lichten daar al gedoofd zijn. Ze hoopt maar dat Lura nog niet gaan slapen is. Uit ervaring weet ze immers dat het meisje — net als haar moeder — bijna niet wakker te krijgen is, als ze eenmaal in slaap gevallen is. In dat geval kan ze alleen maar hopen dat een van de twee de andere wakker snurkt.

Maar ... wat is dat?

Precies op het ogenblik dat de wolken wijken en de volle maan als een zoeklicht met zijn stralen het tuintje verlicht, komt Lelijke Lura naar buiten. Ze stapt moeizaam voort. Ze heeft een zware emmer in de hand en ze draagt rubberen laarzen die zo groot zijn dat ze ze bovenaan heeft omgevouwen.

In een flits duikt Trezebelle een portiekje in.

Roos en Sybille snappen er niks van.

'Wat zullen we nu krij...'

'Sssst!' sist Trezebelle. 'Snel! Hier komen!' Ze wijst driftig links en rechts van haar.

'Zoals je zelf wilt,' zegt Roos.

En Sybille vult aan: 'Maar kom later niet klagen!'

Niet onterecht, want met haar dikke billen erbij wordt het nu wel héél smal in het portiekje.

Roos snapt er nog altijd niks van. 'Wat doen we hier eigenlijk?' vraagt ze. 'Hoe is het afgelopen met jouw krantenartikel? En waarom draagt Lelijke Lura zulke enorme laarzen?'

'Dat vraag ik me ook af ...' reageert Trezebelle.

Ze trekt Sybilles arm wat opzij, zodat ze onder haar oksel door de gebeurtenissen kan volgen. Toegegeven, dat ruikt niet echt fris, maar een journaliste moet er wat voor over hebben om van de actualiteit op de hoogte te blijven.

Op haar hoge laarzen en met de emmer in haar hand strompelt Lelijke Lura inmiddels het tuinpad af. Dat kost haar duidelijk heel veel moeite. Tot twee maal toe zet ze de emmer neer om het zweet van haar voorhoofd te wissen.

'Dat snap ik niet ...' mompelt Sybille intussen. 'Zulke laarzen ... Als Lura die vol water giet, verdrinkt ze er nog in!'

'Ze komen bijna tot aan haar oksels!' voegt Roos eraan toe.

Trezebelle zegt niets. Ze denkt alleen maar. *Wat is Lelijke Lura van plan?*

Intussen is het kleine heksje bijna op straat beland. Ze zet de emmer neer en maakt de grendel van het poortje los. Net als ze daarmee bezig is, hoort Trezebelle heel in de verte het vage geluid van een motor ...

Een auto? Hier? In hun heksendorp, waar niemand een auto nodig heeft omdat iedereen over een eersteklas bezem beschikt?

Ook Roos en Sybille hebben het geluid inmiddels herkend. Nieuwsgierig kijken ze allebei toe.

'Verstop je!' sist Trezebelle. 'Niemand mag je zien!'

Ze maakt zich nog smaller dan smal en drukt zich plat tegen de deur achter haar. Onnodig! Even plotseling als het geluid begonnen is, sterft het weer uit.

'Het moet van buiten het dorp komen,' concludeert Sybille fluisterend. 'Soms, als de wind verkeerd staat, kun je het horen ...'

'Daar heb ik nog nooit iets van gemerkt ...' pruttelt Roos tegen.

'Dat komt omdat het nu extra stil is,' houdt Sybille vol. 'Wij hadden onze oren gespitst. Normaal let je daar niet op!'

'Sssssst!' sist Trezebelle.

Ze krijgt het flink op de zenuwen van die oelewappers en hun luide gefluister! Straks verraden ze hun aanwezigheid nog.

Ze ziet hoe Lura de emmer inmiddels weer heeft opgenomen en moeizaam verder schuifelt. De tuin uit, de straat in. Om de twintig stappen of zo blijft ze even staan om de emmer in haar andere hand over te nemen.

In gedachten verzonken kijken de drie vriendinnen haar een hele poos na.

'Waar gaat ze naartoe?' verbreekt Sybille de stilte ten slotte.

'Als ik dat wist, stond ik nu niet hier!' weet Roos.

Maar Trezebelle heeft wel een vermoeden. 'Ze gaat ... Ze gaat naar de Heksenneus toe!' concludeert ze. Een gruwelijk vermoeden komt in haar op.

7

Zodra Lelijke Lura ver genoeg van hen verwijderd is, beginnen Roos, Sybille en Trezebelle haar door de nachtelijke duisternis te achtervolgen. Op bevel van de laatste blijven ze daarbij eerst in de schaduw van de huizen lopen, later in die van de bomen.

'Ze mag ons niet zien!'

'Waarom niet?' wil Sybille weten.

'Omdat ze misschien iets met die aanslagen te maken heeft,' fluistert Trezebelle. 'Waarom heeft ze anders zulke enorme laarzen aan?'

Ontzet blijven Sybille en Roos staan.

'Kan niet!' zegt Roos. 'Lelijke Lura doet zoiets niet.'

'Ik hoop dat je gelijk hebt,' antwoordt Trezebelle. 'Maar dit voetspoor zegt iets heel anders ...'

Ze wijst naar de grond. Omdat ze het bospad net verlaten hebben en op de vlakte staan rond de gigantische Heksenneus, kun je heel duidelijk de enorme voetafdrukken in het mulle zand zien. Op het eerste gezicht lijken ze verdacht veel op de voetstappen die ze eerder in de tuintjes van Fiete Kwik en van Lelijke Lura gevonden hebben.

Sybille met de Dikke Billen schrikt zo dat ze naar adem

moet happen. Ze kijkt bezorgd naar de schriele figuur die wat verderop in het licht van de Heksenneus staat. Voor de zoveelste keer heeft Lelijke Lura de emmer neergezet en wist ze het zweet van haar voorhoofd.

'Je bedoelt toch niet dat Lelijke Lura die drie kabouters onthoofd heeft?!' mompelt Roos. 'En waarom zou ze haar eigen bezem doormidden zagen?'

'Ik weet het ook niet,' zucht Trezebelle. 'Het is zo onlogisch. Maar waarom heeft ze anders die enorme laarzen aangeschoten en wat zit er in die emmer?'

Probleem. Zo'n groot probleem dat Sybille het zo vlug mogelijk wil oplossen.

'Helaba!' schreeuwt ze de nachtelijke duisternis aan flarden. 'Waar gaat die emmer met dat heksje naartoe!?'

Lelijke Lura schrikt zich haast ... Nee, geen bochel, die heeft ze al. Ze schrikt zich een heksenhoedje. Ze blijft staan alsof al haar spieren ter plaatse bevriezen. In het felle licht dat de Heksenneus verlicht, ziet ze onwezenlijk wit.

'Waarom doe je dat nu?' protesteert Trezebelle boos. Maar Sybille met de Dikke Billen lijkt het niet eens te horen. In een lange, rechte lijn stoomt ze over het bospad op Lelijke Lura af. Ze marcheert zo kordaat dat het lijkt of bij elke stap de bomen en struiken links en rechts van dat pad een beetje natrillen.

'Wa... Wa... Wat doen jullie hier?' hakkelt Lelijke Lura verward. Tot haar ontzetting ziet ze niet alleen Sybille maar ook Roos en Trezebelle uit de schemering opduiken.

'Dat is nu precies wat wij jou ook wilden vragen!' antwoordt Trezebelle. 'Wat doe jij hier? Waarom heb je die gigantische laarzen aan en wat zit er in die emmer?'

Zonder er verder woorden aan vuil te maken, trekt ze de emmer uit Lura's handen. Ze kijkt eerst, ruikt dan, steekt haar hand vervolgens aarzelend in de emmer ... 'Groene zeep,' stamelt ze stomverbaasd. 'Wat ga je daarmee doen?'

'Euh ... Euh ... Een bad nemen!' stamelt Lura. 'In de waterplas. Maar die is heel groot. Daarom heb ik een hele emmer groene zeep nodig.'

'Maak dat je kikker wijs!' spot Roos.

'De waterplas ligt helemaal aan de andere kant van het dorp,' merkt Trezebelle op. 'Weg van de Heksenneus.'

'En waarom heb je laarzen nodig?' wil Sybille weten. 'Ga jij thuis ook met rubberen laarzen aan in bad?'

Lelijke Lura weet duidelijk niet meer welke uitvlucht ze nog kan bedenken. En tot overmaat van ramp wijst Trezebelle ook nog naar de grond.

'Kijk eens naar die voetafdrukken. Identiek aan de sporen die we eerder hebben gevonden. Biecht maar op, Lura. Jij bent de geheimzinnige misdadiger!'

Maar nog voor Lura wat dan ook kan bekennen, horen ze plotseling ... Zien ze plotseling ...

Een automotor ... Hier vlak bij hen. En autolichten!

De lichten branden zo fel en verblindend dat de tranen Trezebelle spontaan in de ogen springen. Meteen slaat ze haar handen voor haar gezicht. 'Waar komt die auto vandaan?'

Langemans, schiet het door Trezebelles hoofd. Door het voorval met Lelijke Lura was ze hem helemaal vergeten. Maar ze had hem diezelfde avond natuurlijk wel met spoed zien vertrekken. Met een opdracht waarbij hij liever niet betrapt werd ...

Maar als hij de dader is, waarom loopt Lura dan met die enorme laarzen en een emmer met groene zeep rond?!

Trezebelle snapt er nu niks meer van. Het lijkt wel alsof er samen met de grillige lichtvlekken voor haar ogen tientallen puzzelstukjes wanordelijk door haar hoofd dwarrelen.

Intussen is de wagen gestopt. De lichten gaan uit, het portier gaat open en daar verschijnt ...

De korte dikke!

Hij heeft een fototoestel met een enorme lens op zijn buik hangen. Als je niet beter wist, zou je denken dat het een klein kanon was.

'Nu snap ik er helemaal niets meer van!' zucht Trezebelle. Haar hele schedel zit plots vol hoofdpijn. Te hard proberen te denken, wellicht ...

Zonder een woord te zeggen zet de fotograaf het fototoestel tegen zijn neus. *Flits* en *flits* en *flits* ... En bij elke nieuwe flits is het alsof er nog meer sterretjes over Trezebelles netvlies beginnen te schaatsen.

'Stop daarmee!' roept ze zo luid ze kan.

Ook Sybille heeft er schoon genoeg van. Maar zij lost het veel eenvoudiger op. Met dichtgeknepen ogen loopt ze op de fotograaf af en trekt de camera uit zijn hand. 'Stoppen, heeft Trezebelle gezegd!'

Dat helpt. De fotograaf weet niet hoe hij moet reageren. Even denkt hij eraan om het toestel terug af te pakken, maar als hij Sybilles kolossale lijf bekijkt, bedenkt hij zich.

'Niet ... Niet stukmaken, hè?' smeekt hij poeslief.

'Eerst vertellen!' zegt Trezebelle. 'Ik wil nu eindelijk wel eens weten hoe de vork precies in de steel zit.'

Ze kijkt vragend van de fotograaf naar Lura en dan weer terug. Op dat moment barst Lura in een hartverscheurend gesnotter uit.

'Ik heb het gedaan! Ik heb het op mijn geweten! Het is

verschrikkelijk. Maar ik heb het allemaal gedaan met goede bedoelingen. Eerlijk waar!'

'Heb jij Freek, Frits en Freddy ...'

'Ja,' jammert Lura zo hard dat de snottebellen zomaar uit haar neus druppen. 'Ik heb het gedaan. Maar ik wou Fiete Kwik geen kwaad doen. Ze had me verteld dat die oude tuinkabouters toch voor de schroothoop waren. Ze stonden al zo lang in haar voortuin dat ze ter plaatse uit elkaar dreigden te vallen. Daarom dacht ik ... Ik zal haar een handje helpen. Ik zorg dat ze nieuwe tuinkabouters kan neerzetten. Ik heb trouwens al drie nieuwe kabouters voor haar gekocht. Echt waar. Ze staan bij mij in het tuinhuisje. Ik wilde ze morgennacht in haar tuintje gaan zetten. Bram, Bert en Billie! Drie stenen beelden die er beeldig uitzien.'

'Waarom?' wil Trezebelle weten. 'Waarom maakte je die oude tuinkabouters kapot?'

'Omdat ik ... Omdat ik jou wilde helpen,' snottert Lura. 'Jij bent toch mijn beste vriendin. Ik weet hoe belangrijk dat schrijven voor je is. Ik weet ook dat je een heel goeie journaliste zou zijn. Je had alleen een zetje nodig. Een sterk verhaal. Daar wilde ik voor zorgen. Je zou zo bloedstollend over Freek, Frits en Freddy vertellen dat Ullebak je artikel wel moest aannemen. Je zou gelukkig zijn ...'

'Maar het pakte anders uit,' zegt Roos nadenkend.

Lura knikt. Ze neemt even de tijd om haar neus aan haar mouw af te vegen.

'Je vond het maar niks. Ullebak zou dat artikel vast weigeren. Daarom moest ik een tweede keer toeslaan. Omdat ik niemand echte schade wilde toebrengen, heb ik mijn eigen bezem middendoor gezaagd. Dat leek ook erger dan het was. Mams had me toch een nieuwe beloofd ...'

'Ik moet toegeven dat je alles haarfijn hebt uitgekiend!' zucht Sybille vol bewondering. 'Met die laarzen en zo ...'

'Ik wilde niet dat er ook maar één heks ten onrechte verdacht werd. Daarom had ik in de buitenwereld de grootste laarzen gekocht die ik daar kon vinden. Iedereen wist dat er in het hele heksendorp niemand te vinden was met zulke enorme voeten. Ik had de laarzen bij mij thuis in het tuinhuisje verstopt. Maar ze waren té groot. Ik verdronk er bijna in. Daarom heb ik ze alleen maar in het zand gedrukt. Genoeg om twee voetafdrukken achter te laten. Maar Trezebelle had door dat er iets niet klopte. Ze merkte dat er geen echt spoor was. Daarom wou ik het vanavond anders doen. Ik wilde nu wel een spoor achterlaten. Een spoor dat na veel zoekwerk tot in mijn huis zou leiden. Want een goede journaliste moet het mysterie natuurlijk ook kunnen oplossen. Jullie mochten weten dat ik erachter zat. Ik zou alles eerlijk opbiechten. Ik wilde jullie niet voor eeuwig en een dag ongerust maken ...'

'Maar waarom is die fotograaf hier? Dat begrijp ik nog altijd niet,' zucht Trezebelle.

'Toen jij met je artikel naar de redactie vertrokken was,

was ik er zeker van dat het morgen in de krant zou staan. Maar een artikel zonder foto is niks. Daarom heb ik – zodra jij vertrokken was – naar de redactie gebeld. Ik heb me natuurlijk niet voorgesteld. Ik heb alleen verteld dat de redactie vanavond een fantastisch artikel zou ontvangen over het heksendorp, in de ban van de terreur. En ik heb er toen aan toegevoegd dat er vannacht ook weer vreselijke dingen te gebeuren stonden. In de buurt van de Heksenneus. Ze moesten geen journalist sturen, want er was al een plaatselijke medewerkster aanwezig, maar een fotograaf zou wel interessant zijn. Als jij nog een tweede artikel schreef en als een fotograaf daar wat kiekjes bij maakte, kon het helemaal niet meer stuk. Dan was je echt gestart als journaliste.'

'Zag je er dan niet tegenop om zelf op de foto te komen?' wil Trezebelle weten.

'Dat was natuurlijk deel van de deal,' legt Lelijke Lura uit. 'Ik gaf hun die tip op voorwaarde dat ze mij niet herkenbaar in beeld zouden brengen. De redactie ging akkoord.'

Er valt een stilte. Trezebelle probeert in haar hoofd alles op een rijtje te zetten.

'Vandaar dus dat jij zei dat je de hele avond op je gat kon zitten ...' prevelt ze nadenkend tegen de fotograaf. 'Je kon gewoon in de auto zitten wachten tot alles gebeurd was en er dan wat foto's van maken.'

'Klopt!' glimlacht die. 'Mijn maatje kon er niet om lachen. Hij moest naar de haven. Een artikel schrijven over de politie die een drugsbende wilde oprollen. Veel gevaarlijker. Stel je voor dat een van die drugsbaronnen hem betrapt ...'

Trezebelle knikt. Alles begint haar nu duidelijk te worden. Meer en meer puzzelstukjes passen in elkaar.

'Maar wat was jij met die emmer vol groene zeep van plan?' wil Roos Netelroos weten.

'Niets ergs.' Lelijke Lura slikt. 'Een grapje, eigenlijk. Ik wilde de glijbaan, die van de top van de Heksenneus naar beneden voert, van onder tot boven instrijken met groene zeep.'

'Maar ... Als een kleine heks dan naar beneden wil glijden ...' begint Trezebelle.

'... dan zoeft ze het zand in,' maakt Lelijke Lura de zin af. 'Maar geef toe, het lijkt weer veel gevaarlijker dan het is. In werkelijkheid zou er niemand naar beneden gaan. Daarom heb ik ook *groene* zeep gebruikt. Op die manier ziet iedereen natuurlijk direct dat er wat mis is met die glijbaan. En zodra het regent, spoelt die zeep er zó weer af. Ik wilde nooit echte schade aanbrengen. Ik wilde jou alleen maar de gelegenheid geven om nog een prachtig artikel te schrijven. En je moet toch toegeven, als er iets gebeurt met de Heksenneus, het symbool voor ons heksendorp, heeft dat veel meer effect dan wanneer ik in een van de heksenhuisjes wat zou uitspoken ...'

Er valt opnieuw een stilte. Trezebelle weet echt niet hoe ze moet reageren. Enerzijds kan het natuurlijk niet dat Lelijke Lura het hele heksendorp op stelten zet. Anderzijds ... *Ze deed het alleen maar om mij te helpen. Ze wilde me gelukkig maken. Het zegt zoveel over haar vriendschap voor mij ...*

Lelijke Lura staat er nog altijd gespannen bij.

'Misschien kan dit toch maar beter onder ons blijven,' zegt ze kleintjes. 'Niet dat ik bang ben voor de straf. Die valt in het heksendorp meestal wel mee. Maar ik vind het zo stom dat ik niet in mijn opzet geslaagd ben. Nu jullie mijn hele plan kennen, heeft het geen zin meer om die glijbaan nog met groene zeep in te smeren. Dat tweede artikel zal er dus nooit komen.'

'Het eerste ook niet!' antwoordt Trezebelle. 'Ik heb het daarstraks niet ingeleverd op de redactie. Ik ben teruggekeerd voor het zover was. En nu ik weet hoe de vork precies in de steel zit, nu ik weet dat je als journaliste altijd moet schrijven over dingen die verkeerd lopen, wil ik toch maar liever geen journaliste worden. Ik wil het ook over de goeie dingen in het leven kunnen hebben. De meikevers, desnoods. De vriendschap ...'

Lelijke Lura kijkt haar geschokt aan. Ze is zo onthutst daar haar altijd wat kwijlende mond er gewoon van openvalt.

'Maar ... Maar ... Je hebt zo veel talent. Ik wilde je helpen, en nu ...'

'Je hébt me geholpen,' zegt Trezebelle. 'Ik weet nu wat ik wil. Ik word geen journaliste. Ik word schrijfster.'

'Prima!' zegt de fotograaf. 'Allemaal heel belangrijk. Voor zover ik het begrepen heb, hoeven er vannacht dus geen foto's gemaakt te worden. Zou ik dan nu eindelijk mijn fototoestel terug kunnen krijgen? Dan kruip ik nog een paar uur in mijn bed. Je weet nooit welk nieuws er morgen weer te wachten staat.'

'Ah ... Ah ja ... Je fototoestel ... Natuurlijk ...' hakkelt Sybille, die al helemaal vergeten was dat ze dat had afgenomen. Ze geeft hem het toestel terug.

'Sorry,' mompelt Lura intussen. 'Heb ik jou helemaal hiernaartoe laten komen voor niks ... Dat was echt niet mijn bedoeling ...'

'Dat is 't leven,' glimlacht de man gelaten. 'Heel dikwijls zit ik uren en uren te wachten zonder er ook maar een foto aan over te houden. En af en toe ... Klik! Precies op het juiste moment afdrukken en je bent even wereldberoemd ...'

Hij draait zich om, stapt in zijn wagen en gaat er hobbelend over het oneffen terrein vandoor.

'Goed, dan blijft er nog altijd één belangrijke vraag over,' begint Lura opnieuw. 'Zullen jullie de rest van het heksendorp op de hoogte brengen of niet?'

'Tja ...' zucht Sybille nadenkend.

'Wat doen we?' plaagt Roos.

Maar Trezebelle wil haar vriendin niet langer in spanning laten. 'Natuurlijk niet,' belooft ze, en ze slaat haar arm om Lura heen en trekt haar dicht tegen zich aan. 'We maken die emmer groene zeep leeg, we verstoppen die laarzen, we zetten Bram, Bert en Billie in de tuin van Fiete Kwik en voor de rest zwijgen we erover. Alleen als we het op koude winteravonden over vriendschap hebben, kruipen we lekker warm bij elkaar en halen we dit verhaal naar boven ...'

8

Trezebelle zit lekker weggezakt op een stinkzwam in haar kamer. Ze heeft haar voeten op een tweede stinkzwammetje liggen en slaat haar boekje met gedichten open. Net als ze haar versjes wil beginnen na te lezen, gaat de telefoon.

'Met Trezebelle.'

Ze hoort een barste stem aan de andere kant van de lijn.

'Bernard hier. Bernard Ullebak. We hebben vandaag nog ruimte te vullen in de krant. Heb jij toevallig al een interessant artikel voor mij geschreven? Iets met wat misdaad, als het kan.'

'Nee!' Trezebelle slikt. 'En wat meer is: ik ben het ook niet van plan. In ons dorp gebeurt geen misdaad en dat proberen we zo te houden.'

'Jammer,' reageert Ullebak. 'Heel jammer. Er gaat een goede journaliste aan jou verloren.'

'Misschien. Maar ik heb mijn plannen gewijzigd. Ik wil schrijfster worden. Dichteres. Ik heb intussen al twaalf versjes geschreven. Soms kort, soms lang, maar altijd zijn ze op de een of andere manier wel grappig ...'

'Zoals?'

Trezebelle kijkt naar het versje dat voor haar ligt en flapt het er dan uit.

'Wanneer een kar gevallen is,
is het een kar-na-val.
Een aal-moes is een platte vis,
een spijtig ongeval.

Een loop-graaf is een graaf te voet,
van 't lopen uitgeput.

Een para-graaf is ook een graaf,
maar met een parachute.'

Een hele poos blijft het stil aan de andere kant van de lijn.

'Leuk!' zegt Ullebak dan. 'Ik houd wel van woordspelletjes. En je hebt nog meer van die grappige gedichten geschreven?'

'Twaalf in totaal. Ze staan allemaal in een boekje.'

Secondenlang blijft het stil aan de andere kant van de lijn. Trezebelle wordt er een beetje ongemakkelijk van.

'Oké!' zegt Ullebak dan. 'Breng me dat boekje eens. Je weet nooit ... We hebben dringend kopij nodig. Wie weet, als ik die versjes goed vind ...'

Het volgende ogenblik heeft hij al opgehangen.

En Trezebelle?

Die heeft haar bezem plots niet meer nodig. Het lijkt wel of ze ook zonder begint te zweven ...